COLLECTION FOLIO

Milena Busquets

Ça aussi, ça passera

Traduit de l'espagnol
par Robert Amutio

Gallimard

Titre original :
TAMBIÉN ESTO PASARÁ

Née en 1972 à Barcelone, ancienne élève du lycée français de Barcelone, Milena Busquets a travaillé pendant de nombreuses années chez Editorial Lumen, fondé par sa famille au début des années 1960. Après avoir créé sa propre maison d'édition, écrit un premier roman, travaillé pour un magazine people et comme attachée de presse pour une marque de mode, elle est aujourd'hui journaliste et traductrice de l'anglais et du français.

Pour Noé et Héctor.
Et pour Esteban et Esther.

1

Je ne sais pour quelle étrange raison, je n'ai jamais pensé que j'aurais un jour quarante ans. À vingt ans, je m'imaginais dix ans plus tard, vivant avec l'amour de ma vie et quelques enfants. Et je me voyais à soixante ans, faisant des tartes aux pommes pour mes petits-enfants, moi qui ne sais même pas faire un œuf au plat, mais j'aurais appris entre-temps. Et à quatre-vingts ans, en vieille croulante, sifflant du whisky avec mes copines. Mais jamais je ne me suis imaginée âgée de quarante ans, ou même de cinquante. Et pourtant, me voilà. J'enterre ma mère et, en plus, j'ai quarante ans. Je ne sais pas très bien comment je suis arrivée jusqu'ici, ni jusqu'à ce village, qui, d'un coup, me fiche une envie horrible de vomir. Je crois que jamais de ma vie je n'ai été si mal habillée. De retour chez moi, je jetterai au feu tous les vêtements que je porte aujourd'hui, ils sont imbibés de fatigue et de tristesse, il n'y a plus rien à en faire. Presque tous mes amis sont venus, et quelques-uns des siens aussi, et des personnes qui n'ont jamais été amies de qui que ce soit. Il y a beaucoup de gens, et il y a des gens qui ne sont pas là. Vers la fin, la maladie qui l'a sauvagement jetée à bas de son trône et a détruit sans pitié son royaume l'a rendue très chiante avec nous tous et, bien sûr, le jour de l'enterrement, ça se paie. D'une part, toi, la morte, tu les as pas mal emmerdés, et, d'autre part, moi, la fille, je ne leur plais pas trop. C'est ta faute, maman, bien sûr. Peu à peu, sans t'en apercevoir, tu as fait reposer sur mes épaules toute la responsabilité de ton bonheur qui chaque jour diminuait. Et cela me pesait, me pesait tellement. Même quand je me trouvais loin, même lorsque j'ai commencé à comprendre et à accepter ce qui se passait, même quand je me suis écartée un peu de toi en voyant que, si je ne le faisais pas, tu ne serais pas la seule à mourir sous tes décombres. Mais je crois que tu m'aimais, ni beaucoup ni peu, tu m'aimais un point c'est tout. J'ai toujours pensé que ceux qui disent « je t'aime beaucoup » ne vous aiment en fait qu'un peu, ou alors qu'ils ajoutent « beaucoup », qui dans ce cas signifie « un peu », par timidité ou par peur de la force du « je t'aime » qui est la seule manière de dire « je t'aime ». Ce « beaucoup » transforme « je t'aime » en un spectacle tous publics, alors qu'en réalité il ne l'est presque jamais. « Je t'aime », les mots magiques qui peuvent vous transformer en chien, dieu, cinglé, ombre. En plus, beaucoup de tes amis étaient des progressistes, des « gauchos », je crois que maintenant on ne les appelle plus comme ça ou alors c'est qu'il n'y en a plus. Ils ne croyaient pas en Dieu, ni en une vie après la mort. Je me souviens du temps où c'était la mode de ne pas croire en Dieu. Aujourd'hui, si vous dites que vous ne croyez pas en Dieu, ni en Vishnou, ni en la terre-mère, ni en la réincarnation, ni en l'esprit de je ne sais quoi, ni en rien, on vous regarde d'un air apitoyé et on vous dit : « On voit bien que tu n'as pas atteint l'illumination. » Alors ils ont dû penser : « Je vais plutôt rester chez moi, assis sur le canapé, avec une bouteille de vin, à lui rendre mon hommage personnel, beaucoup plus transcendant que celui de la montagne avec ses connards d'enfants. Après tout, les enterrements sont juste une convention sociale de plus. » Ou quelque chose de ce genre. Parce que j'imagine qu'ils t'ont pardonné, s'il y avait quoi que ce soit à pardonner, et qu'ils t'avaient aimée. Quand j'étais encore petite, je vous voyais rire ensemble et jouer aux cartes toute la nuit, voyager, vous baigner à poil dans la mer, sortir dîner, et je crois que vous passiez du bon temps, que vous étiez heureux. Le problème avec les familles qu'on choisit, c'est qu'elles disparaissent plus facilement que celles du sang. Les adultes avec qui j'ai grandi sont morts, ou alors je ne sais pas où ils sont. Pas ici, c'est sûr, sous ce soleil implacable qui craquelle la peau et la terre. Un enterrement, c'est un sale moment à passer, et les deux heures de route pour arriver jusqu'ici, une horreur. Ce chemin entre les oliviers, étroit et sinueux, moi, je le connais par cœur. Même si on ne passait que deux mois par an dans ce village, c'est, ou ça a été, le chemin qui nous ramenait à la maison et à toutes les choses que nous aimions. Aujourd'hui, je ne sais plus ce que c'est. J'aurais dû prendre un chapeau, quitte ensuite à le foutre aussi à la poubelle. Je commence à avoir la tête qui tourne. Je crois que je vais aller m'asseoir à côté de cet ange menaçant aux ailes comme des épées et je ne me relèverai plus jamais. Carolina, qui se rend compte toujours de tout, s'approche de moi, me prend le bras et m'entraîne jusqu'au mur d'où l'on aperçoit la mer, très proche, au bout d'un coteau d'oliviers fatigués, le dos tourné à tout le monde. Maman, tu m'as promis que lorsque tu mourrais ma vie serait engagée sur des rails, et tout en ordre, que la douleur serait supportable, et tu ne m'as pas dit que j'aurais envie de m'arracher les entrailles et de les dévorer. Et tu me l'as dit avant de commencer à mentir. Il y a eu un moment, je ne sais pas pourquoi, où toi, qui ne mentais jamais, tu as commencé à le faire. Les amis, ceux qui ne t'ont pas fréquentée à la fin de ta vie et ont gardé le souvenir de la personne admirable que tu étais il y a dix ans, ou dix mille ans, eux, sont venus. Et mes amies, Carolina, Elisa et Sofía. Maman, finalement, nous avons décidé de ne pas enterrer Patum avec toi. On n'est pas dans l'Égypte des pharaons. Je sais bien que tu disais que, sans toi, sa vie n'aurait plus de sens, mais il faut voir que, d'un côté, c'est une grande chienne et qu'il n'y aurait pas de place pour vous deux – j'imagine les deux fossoyeurs en train de pousser sur son cul pour la faire entrer, comme tant de fois nous l'avons fait quand nous étions en pleine mer, après le bain, pour l'aider à monter dans le bateau par l'échelle – et, d'un autre côté, que cette histoire de s'enterrer avec la chienne, sûr que ce n'est pas légal. Même si elle était morte comme toi. Parce que toi, maman, tu es morte. Ça fait deux jours que je le répète, que je me le répète et que je le demande à mes amies, au cas où il y aurait eu une erreur, ou j'aurais mal entendu, mais chaque fois elles m'assurent que l'impensable s'est produit. À part les pères de mes enfants, il n'y a qu'un homme intéressant, et c'est un inconnu. Je suis sur le point de m'évanouir d'horreur et de chaleur et, malgré tout, je suis encore capable de détecter au premier coup d'œil un type attirant. Ce doit être l'instinct de survie. Je me demande quel est le protocole à suivre pour draguer dans un cimetière. Je me demande s'il viendra me présenter ses condoléances. Je crois que non. Lâche. Beau lâche, que fait un lâche à l'enterrement de ma mère, la personne la moins lâche que j'aie connue de toute ma vie ? Ou alors peut-être que cette fille, qui est à tes côtés, te tient la main et me fixe avec curiosité et insistance, est ta petite amie. Justement, elle n'est pas un peu petite pour toi ? Bon, espèce de naine, nana du mystérieux dégonflé, ne m'en veux pas, aujourd'hui on enterre ma mère, j'ai le droit de faire et de dire ce que je veux, non ?, comme si c'était le jour de mon anniversaire.

L'enterrement prend fin. Vingt minutes en tout et pour tout, dans un silence presque absolu, il n'y a pas eu de discours, ni de poèmes – tu as juré que tu te lèverais de ton cercueil et que tu nous poursuivrais toute l'éternité si nous laissions un de tes amis poètes réciter quoi que ce soit –, ni prières, ni fleurs, ni musique. Ça aurait été encore plus rapide si les vieux, les employés du cimetière, n'avaient été aussi maladroits au moment d'introduire le cercueil dans la niche. Je comprends que le type attirant ne s'approche pas pour changer ma vie, et pourtant, à bien y penser, je ne vois pas de moment plus adapté et nécessaire pour le faire, mais il aurait pu au moins aider les deux pauvres vieux quand le cercueil a failli leur échapper des mains et tomber par terre. Un des deux s'est exclamé : « Vingt dieux ! » Voilà les seuls mots qui ont été prononcés pendant ton enterrement. Je les trouve très appropriés, très justes. Dorénavant, j'imagine que chaque enterrement auquel j'assisterai sera le tien. Nous descendons la côte. Carolina me prend la main. C'est fait. Ma mère est morte. Je crois que je vais m'installer à Cadaqués. Maintenant que tu vis ici, ce sera le mieux.

2

À ma connaissance, la seule chose qui ne donne pas la gueule de bois et met entre parenthèses la mort – comme la vie – c'est le sexe. Son effet foudroyant réduit tout en décombres. Mais ça ne dure que quelques instants ou, tout au plus, si vous vous endormez ensuite, quelques heures. Puis les meubles, les vêtements, les souvenirs, les lampes, la panique, la tristesse, tout ce qui avait disparu happé par une tornade pareille à celle du *Magicien d'Oz* redescend et reprend sa place exacte, dans la chambre, dans la tête, dans le ventre. J'ouvre les yeux : point de fleurs et de petits nains chanteurs pleins de gratitude autour de moi, mais un lit, avec moi et, à côté, mon ex. La maison est silencieuse, par la fenêtre ouverte parviennent des cris d'enfants qui barbotent dans la piscine. La lumière bleue et diaphane promet une nouvelle journée de soleil et de chaleur, les cimes des platanes que j'aperçois depuis le lit se balancent paisiblement, dans leur étonnante indifférence à tous les désastres. De toute évidence, les arbres n'ont pas été victimes de combustion spontanée au cours de la nuit, leurs branches ne se sont pas transformées en épées volantes et meurtrières, elles ne dégoulinent pas de sang, ni rien de ce genre. Du coin de l'œil, je regarde Óscar, sans bouger, consciente que mon moindre geste le réveillerait, il y a longtemps que nous ne dormons plus ensemble. Je détaille son corps longiligne et ferme, le thorax légèrement concave, les hanches étroites, les jambes de cycliste, les grands traits bien marqués, masculins, avec je ne sais quoi d'un peu animal dans leur force et leur expressivité. « Il me plaît, il a une tête d'homme », m'avait dit ma mère après l'avoir croisé pour la première fois dans l'ascenseur de l'immeuble et avoir deviné, sans avoir besoin d'aucune présentation, que ce type à la tête de taureau et au corps d'adolescent timide, toujours un peu penché en avant, venait me voir. Elle lui avait dit, minaudant : « Il fait si chaud que je me douche tout habillée, je m'assois pour écrire avec les vêtements trempés et, en une demi-heure, ils sont secs ! » Je l'attendais en tremblant d'impatience et il était arrivé mort de rire : « Je crois bien que c'est ta mère que j'ai rencontrée. » Pendant un certain temps, le corps d'Óscar a été mon unique foyer, le seul lieu au monde. Ensuite, nous avons eu un fils. Puis nous avons fait connaissance. On a beau essayer d'agir comme un animal sauvage, se guidant à l'instinct, à la peau, suivant les cycles de la lune, répondant sans délai, avec reconnaissance, avec une sorte de soulagement, aux exigences de tout ce qui n'a pas besoin d'être pensé, car le corps ou les étoiles l'ont déjà pensé et décidé pour nous, arrive toujours le moment où il faut se mettre debout et parler. Ce qui, en théorie, a été un unique événement dans l'histoire de l'humanité, abandonner les arbres, ne plus marcher à quatre pattes, se dresser sur ses deux jambes et commencer à penser, m'arrive à moi chaque fois que l'amour me lâche et que je touche terre. Chaque fois, l'atterrissage est terrible. J'ai perdu le compte des tentatives que nous avons faites pour reprendre notre relation. Mais il y a toujours un obstacle, le plus souvent c'est son caractère ou le mien. Maintenant il a une copine, mais ça ne l'empêche pas de partager mon lit en ce moment, ni d'avoir été à mes côtés au cours de ces derniers mois de ténèbres et d'hôpitaux, de médecins et de batailles perdues d'avance. Maman, comment as-tu pu penser que tu avais une quelconque possibilité de remporter cette bataille, la dernière, celle qu'absolument personne ne remporte ? Ni les plus intelligents, ni les plus forts, ni les plus courageux, ni les plus généreux, ni ceux qui mériteraient de la gagner. J'aurais accepté sans protester de te voir mourir en paix. De la mort, nous avions beaucoup parlé ensemble, mais jamais nous n'avions envisagé que cette salope emporterait d'abord ta tête avant de prendre plus tard aussi tout le reste, qu'elle ne te laisserait que quelques lambeaux de lucidité intermittente qui ne serviraient qu'à te faire souffrir davantage.

Óscar est l'un de ces hommes tout en vitalité, à la santé vigoureuse qui soutiennent avec ardeur les pouvoirs curatifs du sexe, et pensent qu'il n'y a malheur, chagrin ou déception dont il ne puisse venir à bout. Tu es triste ? Baise. Tu as mal à la tête ? Baise. Ton ordinateur t'a lâché ? Baise. Tu es ruiné ? Baise. Ta mère est morte ? Baise. Quelquefois ça marche. Je me glisse hors du lit. Óscar pense aussi que faire l'amour est la meilleure façon de commencer une journée. Moi, je voudrais être invisible et n'atteindre la visibilité corporelle qu'à l'heure du déjeuner. L'évier déborde d'assiettes sales et dans le réfrigérateur il n'y a que quelques yaourts périmés, une pomme flétrie et deux bières. J'en ouvre une, il ne reste plus de café ni de thé. Les arbres me saluent derrière les fenêtres du salon en agitant leurs feuilles et je remarque que les persiennes de la vieille dame d'en face sont baissées, elle a déjà dû s'en aller en vacances, ou alors elle aussi est morte, qui sait. J'ai la sensation d'avoir passé des mois à vivre autre part. Je sens la sueur de la nuit et de l'homme-taureau avec qui j'ai dormi, je colle mon nez dans l'encolure du tee-shirt et je reconnais l'odeur étrangère, les traces invisibles de l'exultante invasion de mon corps par un autre corps, de ma peau – si souple et perméable – par une autre peau, de ma sueur par une sueur différente. Parfois, même la douche ne parvient pas à effacer cette présence et, pendant des jours, je continue à la percevoir, chaque fois plus lointaine, pareille à un vêtement indécent et flatteur, jusqu'à ce qu'elle disparaisse tout à fait. J'approche le verre de bière de ma tempe et je ferme les yeux. En théorie, c'est ma saison préférée, mais je n'ai rien prévu. Depuis des mois, peut-être des années, mon seul horizon était ton naufrage. J'entends Óscar qui trafique je ne sais quoi dans la chambre, il m'appelle :

— Viens, viens vite, je dois te dire un truc très important.

C'est l'un de ses stratagèmes sexuels et je fais semblant de ne pas l'entendre. Si j'y vais, nous ne quitterons pas le lit jusqu'à l'heure du déjeuner et je n'ai pas le temps, la mort implique des milliers de démarches. Finalement, après dix minutes passées à grogner et à m'appeler parce qu'il prétend qu'il ne trouve pas son caleçon et que c'est sûrement moi qui le lui ai caché – bien sûr, je n'ai rien d'autre à foutre que de jouer à planquer ton caleçon –, il sort de la chambre. Sans un mot, il se glisse derrière moi et commence à m'embrasser le cou tandis qu'il me plaque contre la table. Je continue à mettre de l'ordre dans les papiers comme si de rien n'était. Il me mord l'oreille violemment. Je proteste. Je me demande si je ne vais pas le gifler. Lorsque je décide que c'est peut-être ce qu'il y a de mieux à faire, et que je m'apprête à passer à l'acte, il est déjà trop tard. La manière qu'a un type de vous enlever ou de vous arracher les sous-vêtements vous en apprend long sur lui. Et l'animal qui est en moi – peut-être la seule partie de mon être qui n'ait pas été réduite en cendres au cours des derniers mois – cambre les reins, appuie les mains sur la table et tend tout son corps. Jusqu'au dernier moment, je crois que je vais lui foutre une beigne, mais, finalement, mon autre cœur, celui que sa bite a envahi, se met à palpiter, et j'oublie tout.

— Tu ne devrais pas boire de bière le matin, Blanquita. Ni fumer, ajoute-t-il en me voyant allumer une cigarette.

Il me regarde avec un mélange d'inquiétude et de peine, comme tout le monde depuis quelque temps, je ne sais plus si leurs visages sont un reflet du mien, ou le contraire. Ça fait des jours que je ne me regarde pas dans une glace, ou que je me regarde sans me voir, seulement pour me préparer. La glace et moi n'avions jamais été en aussi mauvais termes. Mon miroir, *mon semblable, mon frère*, s'obstine à me rappeler que la fête est finie. Dans le regard d'Óscar, en plus de la peine et de l'inquiétude, il y a de la tendresse, un sentiment très proche de l'amour. Mais je ne suis pas habituée à inspirer de la peine, et ça me noue les tripes. Peux-tu me regarder de nouveau comme il y a cinq minutes, s'il te plaît? Peux-tu refaire de moi un objet, un jouet? Quelque chose qui prend et donne du plaisir, qui n'est pas triste, une femme dont l'amour de sa vie n'est pas mort tandis qu'elle, fonçant dans les rues de Barcelone en moto, n'arrivait pas à temps?

— Je crois que tu devrais t'en aller quelques

jours, prendre l'air. Tu n'as plus rien à faire ici, et la ville est déserte.

— Oui, tu as raison.

— Je ne veux pas que tu restes seule.

— Non.

Je ne lui dis pas que ça fait des mois que je me sens toujours seule.

— Le pire est derrière toi.

J'éclate de rire.

— Le pire et le meilleur. Tout est derrière moi.

— Et il y a des tas de gens qui t'aiment.

Je ne sais pas combien de fois j'ai entendu cette phrase au cours des derniers jours. L'armée silencieuse et bavarde des gens qui m'aiment s'est ébranlée, juste au moment où moi je n'ai envie que d'une chose : me mettre au lit et qu'on me laisse en paix. Que ma mère s'assoie à côté de moi, me prenne la main, pose son autre main sur mon front.

— Oui, oui, je sais. Et je suis vraiment très touchée.

Je ne lui dis pas que je ne crois plus en l'amour de personne, que même ma mère a cessé de m'aimer pendant un temps, que l'amour est ce qu'il y a de moins fiable au monde.

— Pourquoi tu ne montes pas à Cadaqués pendant quelques jours ? La maison est à toi maintenant.

Je pense fugacement, mais qu'est-ce que tu racontes, espèce de pauvre type dingue, irrespectueux et stupide ? tout en fixant ses grands yeux bienveillants et inquiets. La maison est à ma mère. Elle le sera toujours.

— Je ne sais pas.

— Et le bateau a été remis à l'eau. Vous serez bien là-bas.

Je me dis qu'il a peut-être raison. Les sorcières de ce village défendu par les montagnes, par une route endiablée, par un vent sauvage, qui rend fous tous ceux qui ne méritent pas la beauté de ses cieux, la teinte rose de ses crépuscules d'été m'ont toujours protégée. Enfant déjà, je voyais comment, juchées sur le clocher, riant aux éclats ou fronçant les sourcils, elles repoussaient ou serraient contre elles les nouveaux venus, faisaient éclater des disputes dans les couples fous d'amour, désignaient aux méduses les jambes et les ventres à piquer, plaçaient stratégiquement les oursins sous certains pieds. Comment elles dessinaient des aubes hallucinantes qui soulageaient les gueules de bois les plus terribles, comment elles métamorphosaient chaque ruelle et chaque recoin de ce village en chambres accueillantes, comment elles vous enveloppaient dans des vagues de velours qui effaçaient tous les chagrins et tous les maux du monde. Et maintenant, en plus, il y a une nouvelle sorcière.

— Oui, tu as peut-être raison. Cadaqués. Je vais aller à Cadaqués.

Et j'ajoute :

— Tara, ma maison, la terre rouge de Tara, je reviendrai à Tara... Après tout, demain sera un autre jour.

J'avale une longue gorgée de bière et je lui demande :

— C'est dans quel film ?

— Je crois que tu es en train de mélanger *Autant en emporte le vent* et *E. T.*, dit-il en riant.

— Ah, c'est possible, très possible. C'est la faute à la bière à jeun, ça me fait dire les trucs les plus idiots. Combien de fois je t'ai obligé à voir *Autant en emporte le vent* ?

— Un paquet de fois.

— Et combien de fois tu t'es endormi devant ?

— Presque toutes les fois.

— Évidemment, tu as toujours eu des goûts cinématographiques lamentables. Tu es snob.

Pour une fois, il ne me répond pas, il se contente de me regarder en souriant, avec des yeux émerveillés. Óscar est l'un des rares hommes adultes de ma connaissance qui puisse avoir cet air-là, une tête de matin de Noël. Je ne le lui ai jamais dit, et je ne crois pas qu'il le sache. L'expression de l'émerveillement est l'une des plus difficiles à feindre et disparaît à mesure que disparaissent les espoirs, les véritables espoirs, ceux de l'enfance, et qu'ils sont remplacés par de simples désirs.

— Tout va bien se passer, Blanca, tu verras.

— Je sais.

C'est ce que je lui dis, et je mens.

Il me raconte qu'il doit s'en aller quelques jours à Paris pour son travail, mais que, dès qu'il sera de retour, il montera à Cadaqués nous voir et passera quelques jours avec nous. Ensuite il soupire et ajoute :

— Je ne sais pas ce que je vais faire de ma petite amie.

Les hommes finissent toujours par faire des gaffes. Je prends un air très préoccupé, une expression elle aussi difficile à simuler, mais pas autant que l'émerveillement, et je sors en claquant la porte.

Et moi, c'est sans ma mère que je ne sais pas ce que je vais faire, mon vieux.

3

D'après Nicolás, tu te trouves là-haut dans le ciel et tu joues au poker avec Flocon de neige, le gorille albinos du zoo de Barcelone. Même s'il n'a que cinq ans, il exprime sa croyance avec une telle conviction qu'il arrive parfois à me faire douter. Moi, du haut de mes quarante ans, qui t'ai infiniment plus connue – ou peut-être pas dans le fond, les derniers temps, je crois que ce sont les enfants qui ont eu miraculeusement accès à toi, qui ont été les seuls capables de voir et d'atteindre, à travers ta maladie et ton brouillard, la personne que tu avais été, les seuls assez bons et intelligents pour te faire réapparaître ; eux, ils ont eu de la chance, ils ne t'ont pas haïe un seul instant –, moi, je ne peux pas imaginer meilleur endroit pour toi. Dans les dessins de Nicolás, tu apparais volant au-dessus de nos têtes, un mélange de sorcière moqueuse et de fée pataude, pas très différente de ce que tu as été pendant ta vie.

Ils viennent de passer quelques jours chez Guillem, le père de mon fils aîné. Ils arrivent bronzés, plus grands, chargés de salades, de tomates, de concombres de son potager. Des offrandes de légumes et de fruits que je reçois toujours avec grand enthousiasme et qui finissent en général à la poubelle, dès que la moindre bestiole pointe son nez pendant que j'essaie de nettoyer ces produits naturels avec le peu de conviction que je mets toujours à entreprendre une tâche domestique.

— Guillem, je veux les mêmes pommes que Blanche-Neige. Mon problème avec les pommes bio, c'est que je pense toujours que je vais décapiter un ver en les mordant. Ça m'angoisse assez. Tu comprends, pas vrai ?

— Bien sûr, toi, tu préfères les pommes empoisonnées, non ? Bon, pas de problème, la prochaine fois, on t'apportera ce genre de pommes, pour voir si ça fait de l'effet.

Et il fait mine de se trancher la gorge, ferme les yeux et reste là, langue pendante, provoquant le rire des enfants qui adorent son mélange de folie et de sens pratique, sa capacité à leur raconter avec un grand luxe de détails la Révolution française au jour le jour et à s'en aller, tout de suite après, planter des tomates au jardin.

Guillem est archéologue, bon buveur, cultivé, solidaire, intelligent, catalaniste, sympathique, de mauvaise foi, solide, méfiant, généreux, très amusant et très têtu. Sa devise est « je n'ai pas le temps pour les conneries », et, vraiment, sauf pendant les années que nous avons passées ensemble, où il a bien dû perdre du temps avec les conneries, il lui est resté fidèle. Nous avons une relation amour-haine. Je l'aime et lui, fait semblant de me détester presque tout le temps. Mais il y a dans sa haine plus de bonnes choses que dans l'amour de la plupart des personnes que j'ai connues. Il a gardé Patum, la chienne de ma mère, qui, pendant quelques années, avant que nous nous séparions, avait été la nôtre. Une fois, je la lui avais confiée parce que je partais en voyage et, à mon retour, elle m'avait dit que la chienne allait rester avec elle, qu'elle serait mieux avec sa mère et sa sœur. Et tu l'avais gardée. Et tu te l'étais appropriée, comme tu le faisais avec tout ce que tu aimais, avec tous ceux que tu aimais, tu leur volais une vie, tu leur en offrais une autre, beaucoup plus riche et insouciante et amusante que tout ce qu'ils avaient connu avant ou qu'ils pourraient connaître après. Le prix à payer était élevé : se trouver sous ton regard scrutateur, prisonniers d'un amour qui, comme tu le disais toi-même, en aucun cas, absolument jamais, n'était aveugle. Excepté peut-être avec les chiens, et seulement avec eux. Patum a survécu à sa mère et à sa sœur. Le jour où tu as accepté, sans protester, que nous l'emmenions parce qu'elle ne pouvait plus rester avec toi, j'ai compris que la fin était proche. Si tu étais prête à renoncer à ta chienne, cela signifiait que tu étais prête à renoncer à tout, que nous touchions le fond du précipice dans lequel nous avions commencé à tomber il y a deux ans. Cet après-midi-là, avec ta main encore à portée de la mienne, j'ai entamé les démarches pour que tu sois enterrée dans le cimetière de Port Lligat. Patum a assisté à ton enterrement, c'était le seul chien, Guillem lui avait noué un ruban noir au collier – une idée bien dans son style – et elle s'est comportée comme une dame. Elle ne s'est pas vautrée par terre comme d'habitude, elle s'est assise à l'ombre, très sérieuse et bien élevée, avec son ruban noir, à côté de Guillem, avec son vieux jean et une chemise qui bâillait légèrement sur son ventre et qu'il avait repassée tout exprès pour l'occasion. Je crois que le tableau t'aurait plu, que tu te serais approchée d'eux et assise à leur côté – toi non plus tu n'avais pas trop de temps pour les conneries –, la main posée sur la tête de ta chienne, tu aurais assisté à tes funérailles silencieuses. Peut-être l'as-tu fait, je ne sais pas.

— Bon, Blanquita, comme tu vois, je les ai bien nourris. Pas vrai, les enfants ?

Ils acquiescent tous les deux, ils ont bien appris la leçon.

— Pas vrai que je ne vous ai pas donné de pizzas surgelées, ni de ces vermicelles toxiques que vous file votre mère ?

Les deux enfants nient de la tête.

— C'est vrai, maman, on a super bien mangé, dit Nicolás, le plus jeune.

— Ça me fait plaisir.

— Au fait, tu es au courant qu'on a interdit les conserves de vermicelles industrielles que vous mangez ? dit Guillem. Maintenant il va falloir que tu t'approvisionnes au marché noir.

Il se met à rire. Je le regarde fixement en prenant un air haineux, jusqu'à ce que, finalement, j'éclate de rire à mon tour.

— Et ils sont allés tous les jours à la piscine. Tous les jours. C'est quand la dernière fois que tu les as amenés à la piscine, toi?

— Jamais! s'exclament les deux enfants à la fois.

Guillem sourit triomphalement.

— Maman, à la piscine où on va avec Guillem, ils vendent des trucs à grignoter. Et ils font des gin-tonics spéciaux pour lui.

Guillem leur fait des signes de la main pour qu'ils se taisent.

— Des gin-tonics. Bien sûr. Dans ces conditions évidemment, n'importe qui peut faire ça tous les jours. Et des trucs à grignoter. Je suppose qu'ils viennent eux aussi d'un potager bio...

— Bref, passons. Parlons maintenant sérieusement. Ça fait du bien aux enfants de vivre au grand air et toi ici tu n'as rien à faire. Cette ville est invivable en été, en fait, elle est invivable toute l'année. Pourquoi vous ne montez pas à Cadaqués quelques jours? Vous serez bien là-bas. Le bateau est déjà à l'eau, pas vrai?

— Oui, le *Tururut* est mis à l'eau. Ma mère s'est occupée de tout.

Tu étais dingue, maman, vraiment dingue. Sérieusement, tu croyais que tu pourrais faire un tour en bateau? Est-ce que la même mer sera là, malgré ton absence? Ou bien est-ce qu'elle se sera ramassée sur elle-même, pour devenir aussi petite qu'une serviette soigneusement pliée, que tu aurais glissée dans ta poche et emportée avec toi ?

— Eh bien, c'est parfait, je suis sûr qu'elle aurait voulu qu'on en profite.

Je le raccompagne jusqu'à la porte, il me tapote doucement l'épaule.

— Allez, décide-toi. On se voit la semaine prochaine à Cadaqués, d'accord ? Tu verras, on va être bien là-bas. Au calme.

4

Une des meilleures manières de découvrir les coins secrets de votre ville, pas ceux qui sont romantiquement secrets, mais ceux qui sont vraiment improbables, c'est de tomber amoureuse d'un homme marié. Cela seul explique que nous soyons à Badalona, je crois que c'est Badalona, en train de manger des *croquetas* infectes, que nous trouvons délicieuses, dans un bar immonde, qui nous semble le plus merveilleux des bars de la planète, et où nous nous promettons de revenir rapidement, tenant des propos aussi satisfaits et mondains que si nous étions au Ritz. Cela faisait des semaines que je ne voyais plus Santi. Déjà bien avant ta mort. Les mois précédents, pendant que dans ton lit tu te débattais inutilement, sauvagement, contre la maladie et la démence, moi, lorsque je n'étais pas trop triste ou fatiguée, je me débattais dans un lit aussi, comme toi inutilement et, parfois, sauvagement, pour me prouver et prouver au monde que j'étais toujours vivante. Le contraire de la mort, ce n'est pas la vie, c'est le sexe. Et, à mesure que la maladie devenait plus féroce et implacable avec toi, mes relations sexuelles elles aussi devenaient plus féroces et implacables, comme si dans tous les lits du monde on ne faisait que livrer une bataille, la tienne. Nous, les désespérés, nous baisons désespérément, c'est bien connu. Adieu aux matins où j'ouvrais les yeux, seule ou auprès de quelqu'un, et où je pensais, heureuse : le monde tient bien dans ma chambre. Parfois, j'avais la sensation que nous étions toutes les deux en train de nous transformer en arbres desséchés et cassants, gris comme des fantômes, sur le point de tomber en poussière au moindre souffle. Mais lorsque je te le disais, tu m'assurais que non, que nous étions toutes les deux les personnes les plus fortes que tu connaissais et qu'aucune bourrasque ne viendrait à bout de nous.

Santi porte le jean que je préfère, une antiquité, d'un rouge délavé et un parka kaki que nous avons acheté ensemble il y a longtemps. Je crois qu'il les met pour me plaire, mais aussi en guise d'amulette contre les tempêtes qui ravagent souvent notre relation. Lorsque je l'ai vu éviter les voitures sur son vélo, debout sur les pédales, filant vers moi telle une flèche, comme s'il avait vingt ans alors qu'il en a plus du double, avec son jean rouge délavé, le bas du corps bronzé et dense nettement plus développé et musclé que le haut à cause du ski et du vélo, les mains de travailleur manuel, courtes et fortes, souvent meurtries, j'ai senti un coup au cœur, comme toujours. Je crois que c'est pour ça que je continue à le voir, chaque fois mon cœur bat la chamade. Tu me disais toujours, avec un air faussement inquiet : « Ton problème, c'est que les beaux mecs te plaisent. » Mais je crois que dans le fond tu aimais bien ce trait si masculin et enfantin de préférer au pouvoir, à l'intelligence ou à l'argent, quelque chose d'aussi gratuit, aléatoire et futile que l'est une apparence agréable.

Nous prenons deux *cañas* et décidons d'aller grignoter un truc vite fait, il y a longtemps que nous ne nous sommes pas vus et nous sommes pressés de nous retrouver tous les deux seuls, nous perdons insensiblement le contrôle de nos mains, je lui frôle la taille, il me touche l'épaule, me caresse le petit doigt en me donnant du feu et nous nous tenons, toujours, cinq centimètres plus près l'un de l'autre que la normale entre deux amis. Nous nous enfonçons dans les ruelles, à la recherche d'un endroit tranquille et solitaire loin du soleil, dans un passage souterrain, il me plaque contre le mur, m'embrasse et glisse sa main dans mon pantalon. La force physique des hommes ne devrait servir qu'à nous donner du plaisir, à nous presser jusqu'à ce qu'il ne reste plus une seule goutte de tristesse, ni de peur à extraire de nous. Un adolescent avec son sac à dos se pointe, il nous lorgne du coin de l'œil, fait mine de rien, et accélère le pas, j'ai presque oublié le désordre des premiers baisers, la précipitation et les bleus qui précèdent l'apprentissage de la lenteur et de l'immobilité, des gestes précis pareils à ceux d'un chirurgien, lorsque nous cessons de baiser rien qu'avec le corps et commençons à baiser aussi avec la tête.

— On va nous arrêter pour exhibitionnisme, lui dis-je à l'oreille dans un murmure.

Il se met à rire, s'écarte de quelques douloureux centimètres et, avec une grande délicatesse, me rajuste le pantalon et la chemise, comme si j'étais une petite fille, de la même manière qu'il doit le faire avec ses filles quand il les aide à s'habiller.

— On pourrait venir un de ces soirs baiser ici. Tu crois pas ? lui dis-je. On fera les adolescents.

— Bien sûr.

— Je me mettrai en jupe, ça sera plus facile.

Il me prend la main.

— Allons manger un morceau, espèce de dévergondée.

— Il n'y a pas mieux que l'amour vertical. Tout le monde sait ça.

Il me donne un petit coup de pied au cul.

Je bois un verre de vin blanc où fond tristement le glaçon que le sympathique serveur a ajouté, de manière péremptoire, sans rien me demander, après que je lui ai dit que le vin n'était peut-être pas assez frais, et pendant ce temps Santi devise gaiement avec le patron du bar tout en me caressant le genou. Un homme qui n'aime pas les serveurs, me dis-je, n'aime pas les gens, et qui n'aime pas les gens finira par ne pas m'aimer moi. Il le félicite chaleureusement pour ses *croquetas* de champignons de Paris, très certainement surgelées. Il reluque mon décolleté en souriant. Je lui demande :

— Je t'ai déjà parlé de ma théorie comme quoi si certains hommes sont obsédés par la bouffe c'est parce qu'ils ne baisent pas assez ? Et que c'est grâce à eux que survivent tous les restaurants branchés de cette ville ? Tu as remarqué qu'ils sont toujours blindés de couples d'âge mûr ? Les types, dont la montre coûte le prix d'une bagnole, parlent de la recette des *croquetas*, tandis que les bonnes femmes ont le regard perdu dans le vague, l'air dégoûté et ennuyé, ou alors sont absorbées dans le décompte des calories ?

— Et tu connais ma théorie comme quoi quand tu te fous de moi, c'est que tu as envie de baiser ?

— Non, je n'y avais pas pensé avant. Possible.

Il enserre mes côtes de ses deux mains, formant une sorte de corset humain, puis rapproche ses mains jusqu'à ce que les bouts de ses doigts se touchent presque.

— Comment on peut avoir des nichons pareils avec un corps si mince ?

— Mon amie Sofia pense qu'avoir une grosse poitrine, c'est un emmerdement, elle dit que les seins devraient être comme les bites, augmenter de taille lorsqu'on les sollicite et se tenir bien tranquilles, avec un volume raisonnable, quand ce n'est pas le cas. Des poitrines rétractiles.

Il éclate de rire.

— Tes copines sont dingues. Et toi aussi.

Il commande au serveur deux autres verres. J'ai la sensation d'avoir beaucoup bu. La bouteille est pratiquement vide et je crois qu'elle était quasiment pleine à notre arrivée. Santi m'embrasse en me prenant le visage entre ses mains, comme si j'allais m'enfuir. Il redemande des *croquetas* que je ne goûte pas, et dit au serveur, l'air inquiet :

— C'est qu'elle ne mange pas grand-chose.

— Allez, ma petite dame, mangez, mangez.

Je grignote une moitié de *croqueta* et je vide mon verre.

— Trinquons, dit-il. À nous.

— À nous.

Nous nous fixons quelques instants en silence.

— Ma vie est merdique. Je suis dans une mauvaise passe, murmure-t-il soudain.

— Moi aussi.

Je me mets à rire, de mon rire d'hyène, d'après Guillem, qui a appris aux enfants à l'imiter à la perfection, de mon rire nerveux d'après le psychiatre.

— Et ton boulot, comment ça marche ?

— Ça fait trois mois que nous, les associés, on ne touche plus un centime. Aucun cabinet d'architectes de ce pays n'a de travail, on ne construit plus un seul bâtiment. On ne sait pas ce qui va se passer.

— Eh bien, quelle catastrophe.

— En ce moment, même si je le voulais, je

ne pourrais pas quitter ma femme, je n'ai pas les moyens de me payer un loyer.

Une nouvelle preuve du triomphe incontestable de la lutte pour l'égalité des sexes, lutte qui a servi, surtout, à ce que les hommes nous ressemblent de plus en plus, et pas le contraire. Maintenant, me dis-je, avec une certaine mélancolie, eux aussi refusent la séparation pour ne pas perdre leur statut social. Il ajoute, avec candeur :

— Et je ne pourrais pas non plus aller skier.

— Ah, d'accord. Ça, ce serait une véritable tragédie.

— Tu n'es qu'une méchante sorcière !

Il y a plus de deux ans que je vois Santi. Je n'ai jamais rien voulu savoir de sa relation avec sa femme, par délicatesse, par respect et par peur. En général, je crois qu'il est préférable d'en savoir le moins possible sur les gens. De toute façon, tôt ou tard, ils se montrent tels qu'ils sont, il suffit d'attendre, un peu, et de garder les yeux et les oreilles grands ouverts.

— J'aurais aimé être à tes côtés à l'enterrement.

— On y va ? dis-je en me levant.

Nous tombons sur un petit hôtel agréable, familial, un peu vieillot, sur le front de mer.

— Il te plaît ? Tu le trouves bien ?

— Oui, c'est parfait.

Il demande une chambre avec vue pour faire la sieste, tout en commençant à déboutonner mon chemisier. La réceptionniste nous regarde sans broncher et continue à pianoter sur l'ordinateur. En attendant que la chambre soit prête, nous commandons un gin-tonic et ensuite nous sortons faire un tour. La plage est presque déserte, il n'y a que quelques corps répandus au soleil, enlaidis par la lumière de la mi-journée, par le manque d'intimité et par la proximité physique. Un corps, même le plus ingrat, malade et abîmé, peut être magnifique et émouvant, cent corps côte à côte sous le soleil ne le sont jamais. Je referme deux ou trois boutons de mon chemisier.

Nous montons dans la chambre, une pièce simple et propre aux murs blancs avec deux pudiques lits jumeaux recouverts de jetés jaspés du même bleu que les rideaux, deux marines suspendues au-dessus d'un petit bureau. Je me mets à rire.

— Deux lits jumeaux. Tu vois ? La vengeance de la réceptionniste pour le spectacle d'en bas.

— La garce.

Mais c'est une chambre d'où l'on voit la mer et, du balcon, l'eau et l'horizon sont à nous. Les corps des baigneurs, transformés en fourmis, ont retrouvé leur dignité. Santi, architecte jusqu'au bout des ongles, incapable de laisser un espace tel qu'il est s'il y a la moindre possibilité de l'améliorer, tire un des matelas sur le balcon, m'allonge dessus et commence à me déshabiller. Il y a tant de lumière que je ne le vois presque pas. Je ferme les yeux, j'ai la tête qui tourne. Je les rouvre et j'essaie de me concentrer sur ses baisers, qui remontent lentement le long de mes jambes, mais j'ai mal au cœur et la seule chose que je veux, c'est qu'il m'apporte un verre d'eau.

— Tu es toute pâle. Tu te sens bien?

Je bois deux gorgées et je me mets à vomir. J'essaie de me lever, mais je ne tiens pas debout, il m'accompagne jusqu'à la salle de bains, je continue à vomir jusqu'à ce que rien de solide ne subsiste en moi, ensuite je passe un bon moment à ne me vider que de liquide, et, quand j'ai enfin évacué tout l'alcool, mon corps s'obstine à se débarrasser de je ne sais quoi d'autre. Mon corps, un autre paradis perdu. Enfin les nausées s'apaisent. Je vois notre reflet dans le miroir, mon corps nu comme un spectre gris aux yeux vitreux et, derrière moi, Santi habillé, le cycliste-skieur au pantalon rouge, qui peut boire et se droguer sans limites et sans perdre contenance, même si après il a besoin d'un tas d'excitants et est incapable de dormir sans avoir fumé un joint ou pris un somnifère. Si je n'étais pas si mal en point, je me trouverais sexy. Je suis folle de mon corps asymétrique, doux, maigre, imparfait, disproportionné, je le gâte, je le tripote, je lui donne tout ce qu'il me demande, je le suis partout, je lui obéis docilement, je ne le contredis jamais. C'est le contraire d'un temple. J'ai essayé, j'essaie, sans trop de succès, de faire de ma tête un temple, mais le corps devrait être toujours un parc d'attractions.

— Tu te sens mieux? me demande Santi.

Il a mouillé une serviette de bain et me la passe sur le front et le cou. Il pose mes vêtements à côté de moi.

— Plus ou moins.

— J'avais oublié à quel point l'alcool te fait mal lorsque tu ne manges pas. J'avais vraiment envie de te voir.

— Ne t'inquiète pas, c'est ma faute. Le dernier gin-tonic a été une mauvaise idée. Si je ne crève pas cette nuit, demain ça ira mieux.

Santi met son vélo dans ma voiture et me conduit jusqu'à chez moi. Je baisse la vitre, je ferme les yeux. Je suis morte de fatigue, tout ce que je veux, c'est dormir. Arrivé devant la porte de la maison, il me quitte d'un baiser précipité sur la bouche.

— J'ai beaucoup de collègues dans le coin, on pourrait me reconnaître, s'excuse-t-il en jetant un coup d'œil autour de lui.

Et avant de s'en aller en zigzaguant entre les voitures, il ajoute :

— Je vais monter à Cadaqués quelques jours avec ma famille, des amis nous ont invités. J'espère pouvoir m'échapper un moment et te voir.

Je ferme la porte et grimpe les marches aussi vite que je peux. Je crois que je vais recommencer à vomir. Je fonce vers la salle de bains.

5

L'entrée de la maison est encombrée de cartons. Avec l'aide de la bonne, je les ai empilés contre le mur gauche, six rangées qui arrivent presque au plafond, à côté des cartons de mon dernier déménagement, il y a deux ans, que je n'ai pas encore ouverts. Lorsque nous sommes venus habiter ici, nous en avons ouvert au fur et à mesure un certain nombre et, quand il n'a plus été possible de faire rentrer une aiguille, un livre, un jouet de plus, nous nous sommes arrêtés. Ils sont en bas, en attendant le jour où nous aurons un appartement plus grand. Je ne me souviens plus de ce qu'ils contiennent, des bouquins, je suppose. Chaque fois que je me suis mise à chercher quelque chose, je ne l'ai jamais trouvé, sûrement que lorsque j'ouvrirai ces cartons un jour, dans deux ans peut-être, ou dans vingt, il en sortira des trésors. Les tiens sont pleins de livres, de vaisselle, de services à thé et de linge de table. J'ai eu beaucoup de mal à me défaire de tes affaires, surtout de celles que tu aimais. Certains jours, je pensais que j'allais tout bazarder et, au bout de cinq minutes, je me repentais et décidais de conserver jusqu'au moindre bibelot. Trois heures après, je repensais à tout donner. Je suppose que je cherchais à décider à quelle distance de toi je voulais vivre exactement. C'est un équilibre difficile, avec les vivants garder les distances est plus facile. À côté du mur de cartons, accrochée à un long portemanteau auquel les invités suspendent leurs affaires lorsque nous faisons une fête, il y a ta veste en laine bleue tirant sur le gris, avec des rayures brique. C'est le seul vêtement à toi que j'ai gardé. Je ne l'ai pas conservée parce que c'est une belle pièce, mais parce que je l'ai vue sur toi des milliers de fois et que nous l'avons achetée ensemble dans ta boutique préférée. Je n'ai pas eu le courage de l'apporter au pressing. J'imagine qu'elle garde ton odeur, je n'ai pas eu non plus le courage de vérifier, elle me fait un peu peur, on dirait un spectre poussiéreux, couvert de poils de chien, qui m'accueille lorsque j'arrive à la maison. Je continue à avoir peur des morts. Quand je t'ai vue morte, je n'ai pas eu peur, j'aurais pu rester là, assise à ton côté pendant des siècles, c'était simplement comme si tu n'étais plus là et que la lumière de ce matin d'été qui pénétrait par la fenêtre ne trouvait plus aucun obstacle pour se déverser dans la chambre et sur le monde ; il ne restait que nos dépouilles, ton rictus de souffrance, le silence, la fatigue et une solitude nouvelle qui me souhaitait la bienvenue, une solitude sans fond – comme des sols qui s'ouvrent les uns après les autres sous mes pieds à peine je les frôle. Si ton âme, ou un truc de ce genre, a survécu, elle a filé à toute vitesse loin de cette chambre si déprimante, je ne te le reproche pas, la mienne aurait sûrement fait la même chose.

— C'est quoi cette veste dégoûtante qui est accrochée en bas? me demande Sofia en entrant chez moi.

Elle porte une robe en lin blanc avec des liserés rouges, une des vieilles robes hippies de sa mère qu'elle a récupérées il y a quelque temps. Elle les a remises au goût du jour chez la couturière et en a fait quelque chose de neuf et d'élégant. Sofia s'habille avec un soin et une attention au détail peu courants de nos jours – j'ai l'impression qu'il n'y a que quelques vieux messieurs qui continuent à s'habiller de cette manière – dans un style très éloigné de mon uniforme vieux jean et chemise d'homme. Avant de lui parler pour la première fois, un après-midi devant le portail de l'école de nos enfants, j'avais déjà remarqué cette foldingue excentriquement et impeccablement habillée qui, un jour, arrivait avec une capeline gigantesque pour se protéger de la pluie et, le jour suivant, avec un short fuchsia en laine sur des collants noirs. Ça a été un coup de foudre, mais amical, entre nous, c'est exactement comme ça que naissent les amitiés entre filles pendant l'adolescence, lorsque vous repérez quelqu'un qui partage non seulement vos penchants et vos phobies, votre goût pour le vin blanc et votre manie de ne rien prendre au sérieux, mais qui a aussi la même manière – conséquence à la fois d'un caractère passionné et confiant et d'une enfance protégée – de se livrer au monde et aux autres : entièrement.

— C'est la veste de ma mère. Je ne l'ai pas encore envoyée au pressing parce que, à vrai dire, je ne sais pas ce que je vais en faire. C'est le seul vêtement d'elle que j'ai gardé.

Je lui raconte que la dernière fois que j'ai vu Elenita, la fille de Marisa, ma nourrice, l'extraordinaire femme qui avait été ma seconde mère et était décédée deux ans auparavant d'une crise cardiaque, elle, Elenita, très affaiblie par un cancer à un stade avancé, m'avait reçue dans une robe de chambre à fleurs de sa mère. J'avais immédiatement reconnu le vêtement et ça m'avait paru logique qu'elle l'ait mis, mais aussi prémonitoire et terrible, l'étreinte de la mort. Je me suis souvenue qu'il y a très longtemps, pendant un cours de sport et juste avant de s'élancer sur la piste, une camarade de lycée, blonde et dégingandée, m'avait montré des chaussettes jaunes qui lui montaient jusqu'aux genoux et avaient appartenu à son père récemment mort d'un cancer. Moi, j'étais vierge de la mort et j'avais trouvé ça très triste et romantique (pendant l'adolescence, la tristesse était un sentiment aussi volatil et rutilant que les autres, du moins pour moi). Un an plus tard, je venais d'avoir dix-sept ans, mon père mourait d'un cancer. Et, depuis lors, les morts s'enchaînent, le dernier maillon de ce macabre collier qui pèse une tonne, ce sera moi, je suppose.

— Je crois que tu devrais l'apporter au pressing et la ranger sur l'étagère la plus haute de l'armoire, dit Elisa. Tu finiras bien par décider, un jour ou l'autre, de ce que tu veux en faire, il n'y a pas urgence.

Elisa, elle aussi, est venue déjeuner, nous ne nous voyons presque jamais toutes les trois à la fois, les trios ne fonctionnent pas, même en amitié.

— Je vais commencer à préparer les cocktails tout de suite, ça va te remettre d'aplomb, ajoute Sofía.

Sofía est une experte en confection de cocktails et se promène souvent en ville avec un magnifique sac en toile écrue, rempli de tout le matériel pour les préparer. Elisa a apporté des sushis. Je sors des restes de fromage très sec du réfrigérateur et nous nous asseyons à table. Nous buvons à la vie, à nous, à l'été. Ces derniers temps, tout le monde semble ne penser qu'à porter des toasts avec moi, à appeler un avenir dont je ne sais pas s'il viendra.

— Bon, les filles. J'ai décidé d'aller passer quelques jours à Cadaqués. Sexe, drogue et rock and roll. Qui est partante ?

Elisa me regarde d'un air inquiet et Sofía applaudit avec enthousiasme.

— Oui, oui ! Allons à Cadaqués ! s'exclame-t-elle tandis qu'Elisa se lance dans un discours érudit sur l'effet des drogues, Freud, le deuil, la figure maternelle et les grands dangers qui me guettent.

La première ne pense qu'à jouir du monde, la seconde à en souffrir et à l'analyser.

— Tu as remarqué que, depuis qu'elle sort avec un Cubain, elle s'habille en Cubaine ? me chuchote Sofía.

— C'est vrai...

Elisa a une jupe à godets, blanche et très courte, des sandales à talons et un chemisier à pois rouges. De longs cheveux bruns et ondulés lâchés sur les épaules, et les ongles des pieds vernis de rouge. On dirait une gamine de cinq ans, heureuse et espiègle. Nous avons tous l'air plus jeune lorsque nous sommes heureux, mais Elisa, elle, peut passer de cinq à cinq mille ans en deux minutes, elle n'est presque jamais entre les deux et elle aura une tête d'écureuil futé quand elle sera vieille, je me dis, tandis qu'elle continue à parler aussi gravement qu'une présentatrice de journal télévisé.

— Avec les fesses qu'elle a, ça devait arriver qu'elle sorte avec un Cubain, ajoute Sofía à voix basse.

Le problème, me dis-je, c'est que derrière – ou plutôt au-dessus de – ce splendide cul cubain, il y a un esprit brillant et super analytique de philosophe existentialiste français qui ne se repose jamais, ce qui lui complique un peu la vie. La pauvre, elle passe tout son temps à essayer de garder l'équilibre entre son magnifique cul cubain et sa philosophique tête française.

— Tu devrais venir avec le Cubain, lui dis-je quand elle se tait.

— Il s'appelle Damián. Je te l'ai dit mille fois.

— Ah oui ! Damián, Damián, Damián. J'oublie tout le temps, excuse-moi. Mais après tout, il est cubain, non ? Et c'est le seul Cubain que je connais.

Elisa me dévisage d'un air très grave, sans rien dire. Mes relations avec mes amies, toujours très passionnelles et assez conflictuelles, se sont apaisées pendant la longue maladie de ma mère. Je me demande combien de temps elles mettront à retrouver leur état normal.

— Oui, oui ! Venez ! venez ! s'exclame Sofía. Au fait, comment ça va avec Damián ? Tu es contente ?

— Oui. Mais il est très exigeant question sexe. La vérité, c'est que je suis épuisée, répond Elisa.

Elisa est capable de faire de n'importe quel sujet, même le sexe avec un nouvel amant, un truc chiant et intello. Sofía, en revanche, transforme tout en événements frivoles et festifs dont elle est le centre. Chacun de nous a un thème majeur, un leitmotiv, une rengaine lancinante, un parfum qui nous enveloppe, une musique de fond qui nous accompagne toujours, inaltérable, parfois étouffée, mais persistante et impérieuse.

— Et qui d'autre monte à Cadaqués ? demande Sofía.

— Laisse-moi réfléchir. Ah oui ! Mes deux ex-maris.

— Quoi ? s'exclament-elles ensemble.

— Tu vas à Cadaqués avec tes deux ex ? Tu plaisantes, non ? Tu crois que c'est normal ? dit Elisa.

— Je ne sais pas si c'est normal. Mais c'est vous qui passez la journée à me répéter que je ne peux pas rester seule, que je dois être entourée de personnes qui m'aiment. Eh bien, je crois qu'Óscar et Guillem m'aiment.

— Moi, je trouve ça très bien, s'exclame Sofía. La normalité, c'est dégoûtant. Buvons aux gens anormaux !

— Aux anormaux ! dis-je, et nous nous embrassons.

Dès que Sofía prend deux verres de trop, elle se met à bécoter la personne la plus proche d'elle et à lui jurer un amour éternel.

— Et à Cadaqués, il y aura aussi Santi. Et sa famille.

Cette fois, même Sofía me regarde d'un air incrédule.

— Ce sera très marrant, vous verrez.

Elles me regardent toutes les deux avec des yeux ronds comme des soucoupes. J'éclate de rire.

6

Nous entreprenons le voyage à Cadaqués, qui ressemble toujours à une expédition. Assis à l'arrière, il y a les trois enfants, Edgar, Nico et Daniel, le fils de Sofía, à côté d'Úrsula, la baby-sitter. Je conduis et Sofía joue le copilote. Je continue à trouver bizarre et un peu absurde que ce soit moi qui dirige tout ça, moi qui décide de l'heure de départ, tienne le volant, donne les instructions à Úrsula, choisisse les affaires que vont emporter les enfants. D'un moment à l'autre je vais être démasquée et envoyée avec eux sur la banquette arrière, me dis-je en les observant dans le rétroviseur qui rient et se disputent tout à la fois. En tant qu'adulte, je suis une imposture, tous mes efforts pour quitter la cour de récréation sont des échecs retentissants, j'éprouve exactement ce que j'éprouvais à six ans, je remarque les mêmes choses, le petit chien monté sur ressorts dont la tête apparaît et disparaît à la fenêtre d'un rez-de-chaussée, le grand-père qui donne la main à son petit-fils, les beaux mecs avec le radar branché, l'éclat du rayon de soleil sur mes bracelets cliquetants, les personnes âgées et seules, les couples qui s'embrassent avec passion, les mendiants, les vieilles suicidaires et provocatrices qui traversent la rue à la vitesse d'une tortue, les arbres. Nous voyons tous des choses différentes, nous voyons tous toujours les mêmes choses, et ce que nous voyons nous définit absolument. Nous aimons instinctivement ceux qui voient comme nous, et nous les reconnaissons tout de suite. Mettez un homme au milieu d'une rue et demandez-lui : « Qu'est-ce que tu vois ? » Dans sa réponse, il y aura tout, comme dans un conte de fées. Ce que nous pensons n'est pas si important que ça, c'est ce que nous voyons qui compte. Je rendrais sans hésiter ma pathétique couronne d'adulte en carton-pâte, que je porte avec si peu de grâce, qui tombe par terre à tout bout de champ et fiche le camp en roulant vers le bas de la rue, pour retourner sur la banquette arrière de la voiture de ma mère, coincée entre mon frère Bruno, Marisa, la nounou, Elenita, sa fille, qui venait toujours en vacances avec nous, Safo et Corina, nos deux bassets, et Lali, le caniche royal de Marisa, une chienne couverte de puces, bête et tarée qui détestait Cadaqués et nos teckels sophistiqués.

— Les garçons, ça vous dirait qu'on achète une table de ping-pong pour le garage de Cadaqués ?

Ils acquiescent tous avec enthousiasme.

— Mais il faudra y aller vraiment mollo avec les chiens et la table de ping-pong, d'accord ?

— Pourquoi ? Pourquoi ? demandent en chœur Nico et Daniel. Edgar, comme tout bon adolescent, s'amuse avec son portable et ne dit rien, mais je remarque qu'il est attentif, il est toujours attentif.

Alors je leur raconte que lorsque Lali, la chienne psychopathe de Marisa, se trouvait à Cadaqués, elle était prise, d'un coup, de crises de démence et filait ventre à terre dans les escaliers, tandis que nous, Elenita, Marisa et moi, on la poursuivait en criant et en essayant de l'attraper. Alors, lorsqu'elle était déjà sur le point d'arriver dans le garage, elle se jetait dans le trou de l'escalier, qui faisait environ quatre mètres de haut, et atterrissait sur la table de ping-pong, autour de laquelle jouaient tranquillement mon frère et ses copains. Ça leur fichait une sacrée trouille à tous de voir s'écraser un gigantesque chien noir sur la table, et alors les copains fuyaient épouvantés, à la grande colère de Bruno qui, l'été avançant, avait de moins en moins d'amis avec qui jouer au ping-pong et, en plus, était convaincu que c'était moi qui avais dressé Lali à se jeter sur la table, exprès pour le faire chier.

— C'était sûrement vrai, dit Edgar en me regardant du coin de l'œil. C'est ce que te disait grand-mère : « Tu es méchante, Blanca, tu es méchante. »

— Jamais grand-mère n'a dit ça, dis-je en mentant.

— Chaque fois qu'elle te voyait, elle te le disait.

— C'était pour rire. Grand-mère m'adorait.

— D'accord, d'accord.

Grand-mère était effrayée. La femme qui ne connaissait pas la peur a commencé à vivre avec celle-ci quand elle a senti que ses forces, sa tête, ses amis, et toute cette cour qui l'avait toujours entourée la lâchaient (« Tu sais ce qu'il y a de vraiment dur quand on vieillit ? m'avait-elle demandé un jour. C'est de se rendre compte que ce que tu racontes n'intéresse plus personne »), quand elle a vu que son temps touchait à sa fin, que tout prenait fin, tout sauf sa furieuse envie de vivre. Grand-mère ne s'était jamais avouée vaincue, elle avait livré toutes les batailles et pris l'habitude de les remporter. Je crois que c'est seulement le dernier jour qu'elle a reconnu que la partie était perdue. Assise sur le lit du dernier hôpital, celui où dans mes cauchemars je continue à errer (mais pas aussi souvent que dans la résidence de personnes âgées où elle a passé les deux mois précédents et où j'ai compris que les films de morts vivants étaient absolument réalistes et que leurs réalisateurs n'avaient rien inventé), je lui ai dit de ne pas s'inquiéter, que c'était la troisième pneumonie qu'elle avait, qu'elle s'en remettrait. J'irai bien, les enfants iront bien, tout est en ordre, lui ai-je dit aussi. Elle m'a regardée et, sans rien dire, elle ne pouvait plus parler – quelles sont les personnes sur le point de mourir d'humeur à prononcer une dernière phrase, je me le demande, celles qu'inquiète leur postérité, je suppose, à moins que tout ce baratin des dernières paroles ne soit qu'une niaiserie de plus –, elle s'est mise à pleurer, sans bruit, sans qu'un seul muscle de son visage ne bouge, son regard fixé sur moi. Ana, sa meilleure amie, qui se trouvait dans la chambre à ce moment-là, a dit – j'imagine que c'était pour me protéger – que ce devait être l'air conditionné qui lui piquait les yeux, mais je sais que tu étais en train de me dire adieu. Je n'ai pas versé une seule larme, je t'ai doucement pressé la main et dit encore une fois qu'il ne fallait pas que tu te fasses du souci, que, nous tous, on irait bien. Quelques mois auparavant, lorsque ta mort était encore impensable pour moi, et elle continue à l'être, nous bavardions chez toi toutes les deux et, tout à coup, comme on dirait : « J'ai besoin de dentifrice », sans me regarder, debout, alors que tu allais chercher je ne sais plus quoi dans la salle de bains, tu m'as dit : « Ça a été un honneur de te connaître. » Je te l'ai fait répéter deux fois, à cette époque-là notre amour était déjà devenu très douloureux, je pensais que tu ne m'aimais plus et je ne savais pas si je t'aimais toujours. Alors je me suis mise à rire et je t'ai demandé de ne pas dire de sottises, deux minutes plus tard, nous étions de nouveau en train de nous disputer. Aujourd'hui je crois que tu savais déjà que le temps des points de suspension, que tu détestais tant, était arrivé à son terme.

Commençait le temps des points finals, pareils à des couteaux, à des bouteilles d'oxygène.

Sur la voie parallèle, Elisa qui a pris sa propre voiture avec Damián, nous salue joyeusement de la main. Je les regarde avec une pointe d'envie, je suppose qu'ils écoutent de la musique – la musique qu'ils veulent, pas celle que les enfants veulent – et qu'ils parlent de leurs affaires ou pensent à ce qui les intéresse. J'imagine aussi qu'Elisa, qui n'a pas d'enfants, a pu se doucher toute seule, ou avec Damián, sans que le gamin et sa souriante baby-sitter fassent irruption dans la salle de bains pour demander où était le déguisement de mandarin chinois, car il était indispensable de l'emporter à Cadaqués parce que, à Cadaqués, ou on y allait habillé en mandarin chinois ou alors autant ne pas y aller. « Un point c'est tout », a ajouté Nico. « Je suis toute nue sous la douche, vous le voyez, non ? Foutez le camp d'ici. » Nico a protesté et Úrsula s'est mise à rire, sa technique pour affronter n'importe quelle situation. Ça faisait sortir de ses gonds mon deuxième mari, moi, ça m'a toujours plu. « La légèreté est une forme d'élégance, disais-je, il est très difficile de vivre dans la légèreté et la joie. – Tu confonds légèreté avec le je-m'en-foutisme, Blanquita. Tout le monde se fiche de toi. »

Pour que le voyage ne paraisse pas trop long, nous avons décidé de nous arrêter à mi-chemin et de manger chez Tom. Tom, le père de Daniel, avait été le compagnon de Sofía quand ils étaient tous deux très jeunes et ils avaient continué à être amis après la fin de leur relation. Et donc, lorsque Sofía avait vu qu'elle approchait de l'âge où avoir un enfant allait devenir de plus en plus difficile et qu'elle était seule, elle était allée le voir et lui avait demandé de lui en faire un. Tom, qui entre-temps s'était marié, avait eu deux filles et s'était séparé de leur mère, avait accepté, en insistant bien sur le fait que, s'il était d'accord pour que l'enfant porte son nom et pour le voir de temps en temps, l'enfant serait celui de Sofía, et seulement de Sofía, puisqu'il avait déjà deux filles dont il s'occupait activement et que ça lui suffisait. Sofía avait accepté le marché, reconnaissante et consciente du cadeau qu'il lui faisait, et Tom avait continué à vivre comme avant.

Il vit dans une maison délabrée au beau milieu d'un immense terrain où il recueille des chiens abandonnés et élève des beagles. Si j'étais quelqu'un d'autre, l'un de mes rêves serait de vivre à la campagne entourée de bêtes, mais si je n'ai pas à proximité un cinéma, un supermarché ouvert vingt-quatre heures sur vingt-quatre et un tas d'inconnus, j'angoisse. Et malgré ça, la perspective de voir une portée de chiots m'enchante autant que les enfants. Avoir laissé derrière nous la route de Cadaqués a constitué pour moi un soulagement inespéré, nous pourrons la reprendre un peu plus tard. Toutes les routes parcourues avec ma mère sont douloureuses, la mort, cette putain de mort, nous chasse de tous les lieux. Pendant que nous parcourons le long chemin de terre, calme et solitaire, qui conduit à la maison de Tom, je me dis qu'on devrait peut-être adopter un bébé beagle. À l'entrée, un petit panneau poussiéreux avec des chiens verts bondissant annonce : « Villa Beagle ». Nous sonnons et personne ne sort. Les enfants s'accrochent au grillage et commencent à crier : « Tom ! Tom ! » On entend des aboiements au loin et soudain apparaît une meute de chiens de tous âges, races et conditions physiques qui trottent dans notre direction. Voir ces animaux, inventés et domestiqués par nous, habitués à vivre confinés dans des appartements, en train de profiter, même momentanément, de leur liberté, me met toujours de bonne humeur. Le plaisir sans entraves de courir au soleil, les oreilles au vent, la langue dehors, la queue frétillante. La joie d'être vivant, sans plus, d'accepter le présent sans poser de questions. Les chiens se bousculent de l'autre côté du grillage et les enfants crient, incapables de contenir leur excitation. Derrière les chiens, nous voyons avancer, le sourire aux lèvres, deux jeunes types. Ils marchent à grandes enjambées décontractées, comme s'ils se frayaient un passage à travers un champ de blé déjà haut, ils portent des jeans usés, ils ont les yeux gonflés de sommeil, les silhouettes élastiques de la jeunesse et le regard légèrement narquois des mauvais garçons de la classe, de ceux qui ont passé beaucoup de temps dans la rue. Je remarque amusée et un peu envieuse comment ils se passent discrètement un joint pendant qu'ils appellent les chiens par leurs noms et jouent avec eux. Ils ouvrent la grille pour nous laisser entrer et nous disent que Tom est chez lui, qu'il vient de se réveiller et arrive tout de suite. Les chiens nous saluent joyeusement, ils sautent, nous donnent de grands coups de langue et quelques aboiements vite réprimés par les deux gars. Après quelques minutes d'indécision, les enfants, qui n'ont jamais vu autant de chiens ensemble, se mettent à courir à travers champs, riant et criant, avec les chiens qui bondissent derrière eux. Il y en a un cependant qui ne s'éloigne pas de moi, un vieil animal pelé par endroits qui fait vaguement penser à un berger allemand. C'est lui le premier que j'ai vu, il était à la traîne de la bande, un peu à l'écart, l'air fatigué et triste. Il m'a vue le voir et il s'est approché. Quiconque a eu un chien sait que ce sont les chiens qui nous choisissent, et pas le contraire. C'est une reconnaissance semblable à celle qui se produit, parfois, rarement, entre deux personnes, muette, rapide, indiscutable. Mais chez les chiens, ça dure toute la vie. Je lui caresse la tête et, chaque fois que j'essaie de retirer la main, il colle son museau à ma jambe et me donne de petites poussées pour que je continue à le câliner. Je demande à l'un des gars :

— Comment il s'appelle ?

— Rey.

— Bien sûr. J'imagine qu'à un certain moment de sa vie il a été le roi pour quelqu'un.

Le jeune type dégingandé me sourit et, sans rien me demander, me passe le joint.

— Sa maîtresse est morte d'un cancer, il y a quelques mois, et il est resté ici.

Je me penche et lui caresse de nouveau la tête.

— Je crois que tu es toujours un roi, tu le sais ? Ça se voit de loin. Tu t'es retrouvé tout seul, c'est ça ? Ça alors. C'est une véritable vacherie, pas vrai ?

Je lui tapote l'échine, il a le poil dru, un peu rêche, noir, avec le ventre et le bout des pattes d'un jaune tirant sur le roux. Le regard profond, sérieux et voilé des vieux chiens, des hommes malades. Si vous aimez les gens, il est impossible que vous n'aimiez pas les chiens.

Là-bas au loin, Edgar examine avec l'air d'un propriétaire terrien les figuiers qui flanquent le pré, lourds de fruits prêts à éclater. Je pense qu'il ne sera jamais aussi adulte, conscient de tout, sérieux, attentionné, discret, économe en paroles, sensible et responsable qu'il l'est maintenant, à treize ans, et que moi, évidemment, je ne serai jamais à sa hauteur. Peut-être que le sentiment le plus élevé que nous puissions éprouver pour une autre personne est le respect, plus que l'amour ou l'adoration. Damián s'approche de moi et me demande à voix basse de lui passer le joint discrètement, Elisa n'aime pas qu'il fume, et Sofía commence à flirter avec l'autre jeune soigneur de chiens, qui se trouve être roumain et baragouine à peine le castillan. Roger, celui qui parle avec moi, est catalan et, pendant que nous fumons, il m'explique qu'ils n'ont pas que des chiens abandonnés, qu'ils proposent aussi un service d'hébergement pour les gens qui partent en voyage ou en vacances et n'ont personne à qui confier leur chien. Tom arrive sur ces entrefaites. On voit bien qu'il s'est habillé à la va-vite, il porte un pantalon tout déchiré.

— On voit tes fesses, lui dit Sofía en guise de salut.

Il se palpe l'arrière du pantalon et éclate de rire. Il parle castillan comme un fils de bonne famille de Barcelone et cause catalan comme un paysan de l'Empordà. Il a les cheveux blond miel, les yeux bleus et romantiques de sa mère anglaise et la carrure caractéristique de certains hommes du Sud, le corps râblé, baraqué et bedonnant, les mains courtes et épaisses, la peau brunie et craquelée par le soleil. Il est direct et vous regarde toujours dans les yeux, j'imagine qu'il a dû apprendre ça avec les chiens. Il rit facilement, il est expéditif et sait donner des ordres. Il aime les bêtes, les femmes, le poker et la marijuana. À en croire Sofía, derrière le chenil, il possède un champ d'herbe de plusieurs kilomètres, qui lui sert, entre autres choses, à financer le refuge pour animaux.

Nous décidons d'aller jeter un coup d'œil sur les chiots avant de déjeuner. Nous traversons une plantation de figuiers et d'oliviers, nous arrivons à un bâtiment long et bas, divisé en box. Certains de ceux-ci sont ouverts sur l'extérieur et sont pleins de chiots qui se sont mis à sauter et à nous faire fête dès qu'ils nous ont entendus arriver ; d'autres, ceux des chiots nouveau-nés donnant sur une cour intérieure plongée dans la pénombre, sont plus frais et paisibles, à distance de l'agitation des chiens plus âgés. Il flotte dans l'atmosphère quelque chose de la solennité et de l'émerveillement que suscite toute mise au monde, humaine ou animale. La sensation, fausse, bien sûr, de se trouver sur le point de pouvoir frôler du bout des doigts l'origine de tout, la béatitude. Les enfants perçoivent tout cela, l'épuisement, le dévouement, l'abandon des femelles qui viennent de mettre bas, la confusion et la fragilité des chiots aveugles et moches comme des rats chauves, l'odeur nauséabonde de la vie, et ils se taisent sans oser entrer. Ils me demandent si nous pouvons emporter un des chiots plus grands. J'envisage de prendre une petite chienne, et de lui donner ton prénom et, tout de suite après, je me rends compte que c'est le genre d'idée que donne la marijuana et que je n'aurais pas dû fumer à jeun. Je leur dis qu'ils n'ont qu'à passer commande pour Noël.

Nous allons déjeuner dans un petit restau routier, un établissement paisible et simple, sans aucune prétention esthétique, où l'on mange très bien, de la cuisine maison, comme il n'y en a jamais eu à la maison. Une fois, tu m'as raconté que, l'étape des biberons et des bouillies arrivant à son terme, tu étais allée voir notre pédiatre, une grande éminence, un savant attirant et imposant, qui me terrifiait – je me souviens qu'un jour il m'avait mise à la porte de son cabinet parce que je pleurais –, pour parler de nutrition infantile et lui dire que tu n'avais jamais mis les pieds dans une cuisine, et que tu n'avais pas la moindre intention de le faire. Le docteur Sauleda t'avait dit de ne pas t'inquiéter à ce propos, qu'en principe, s'il y avait du lait ou des produits laitiers dans le réfrigérateur, quelques fruits, des biscuits, et éventuellement du jambon cuit, tout irait bien. C'est ainsi que, avant la puberté, nous étions déjà des spécialistes en fromages français, nous savions déjà combien il est important d'avoir toujours, au cas où, une bouteille de champagne au frais, et nous trouvions absolument normal que certains soirs le dîner consiste seulement en un gâteau de chez Sacha, notre pâtisserie préférée. Chez nous, la cuisine ne servait que lorsque nous avions des invités, pour réchauffer les plats, et à la bonne, pour qu'elle prépare le répugnant riz au foie que tes chiens aimaient tant, avant qu'ils ne soient contraints, comme le reste de l'espèce canine, à s'alimenter exclusivement de croquettes. Quoi qu'il en soit, le docteur Sauleda devait avoir raison : nous avons grandi bien portants, robustes, et nous nous sommes transformés, mon frère et moi, en deux jeunes individus assez attirants et raffinés, qui considéraient – dans mon cas, c'est toujours vrai – qu'il n'y avait rien de plus exotique et succulent que la cuisine faite maison et qui, invités chez des amis, se jetaient sur les lentilles, le riz à la cubaine ou les macaronis, comme s'il s'agissait des mets les plus délicieux de la terre, sous le regard éberlué et flatté de la maîtresse de maison.

Une fois le repas terminé, les enfants et Úrsula plongent dans la piscine tandis que nous sortons prendre le café sur la terrasse. On nous apporte immédiatement une bouteille de ratafia et des petits verres pour que nous nous servions nous-mêmes. Tom est un familier des lieux et il y a ses habitudes. Il nous raconte qu'il va bientôt participer à un important tournoi de poker.

— Ma mère adorait jouer au poker, dis-je.

— Ah ! répond-il, eh bien, dis-lui de venir.

Ignorer que ma mère est morte me paraît aussi invraisemblable qu'ignorer que la terre est ronde.

— Elle est décédée. Elle est morte il y a trente-quatre jours.

Il me regarde l'air surpris et grave. J'ai envie de me mettre à rire et de lui dire : « C'est une blague, mon vieux ! Je suis en train de me foutre de toi ! Ma mère va parfaitement bien, elle est aussi insupportable que d'habitude. »

— Vraiment, je suis désolé, je ne le savais pas.

— Elle a essayé de m'apprendre à jouer au poker un million de fois.

— Eh bien, peut-être que je pourrais t'apprendre, moi.

— D'accord, ce serait génial.

Tom et sa copine viennent de se séparer

– d'après Sofía, c'est une cinglée mystique qui vit dans les montagnes – et il a rebranché son radar. Il y a des hommes qui n'ont pas de radar sexuel, ou qui ne s'en servent pratiquement jamais, seulement lorsqu'ils en ont besoin, et ensuite ils l'éteignent. D'autres qui le gardent branché en permanence, même pendant le sommeil, dans la queue du supermarché, devant un écran d'ordinateur, dans la salle d'attente du dentiste, tournant sur lui-même follement, émettant et recevant des ondes. La civilisation survit grâce aux premiers, le monde grâce aux seconds.

— Pourquoi on n'irait pas au ciné ? propose soudain Sofía.

Nous avons pas mal bu et nous trouvons tous que c'est une sage idée de ne pas reprendre la voiture avant un bon moment.

— Oui, oui, allons-y, dit Tom.

Et, s'adressant à moi :

— On pourra s'asseoir l'un à côté de l'autre et flirter gentiment.

Nous rions. Et, même s'il ne me plaît pas alors que, moi, je lui plais, je commence à lui faire du charme. Je sens comme le miel commence à couler, liquide et solaire, on dirait deux enfants sur le point de voler un sachet de bonbons et de filer à toute vitesse du magasin, morts de rire et de peur. Ce n'est pas le miel épais et lent et sombre pour lequel nous serions prêts à aller en enfer, mais c'est quand même du miel, l'antidote de la mort. Depuis ta mort, et même avant, j'ai la sensation que je ne fais que grappiller de l'amour, me jeter avidement sur les moindres miettes que je trouve sur le chemin, comme si c'était des pépites d'or. Je suis totalement ruinée et j'ai besoin qu'on me dépouille. Même le sourire de la fille du supermarché, le clin d'œil d'un inconnu dans la rue, une conversation banale avec le type du kiosque à journaux, tout est bon pour moi, je bois tout jusqu'à la lie, rien n'est suffisant, rien ne sert à rien.

Le film raconte l'histoire d'un gamin dont le chien meurt heurté par une voiture pour être par la suite ressuscité par son jeune maître, pour re-mourir et re-ressusciter une dernière fois. Nous nous asseyons sur deux rangées, les adultes devant, les enfants et Úrsula derrière. Tom me prend la main et nous passons tout le film comme ça, les doigts emmêlés, à un certain moment, il m'embrasse la main très discrètement et m'effleure le cou de ses lèvres. J'appuie la tête sur son épaule et je ferme les yeux pendant quelques secondes. Il me caresse le genou, je me laisse faire, c'est très agréable, mais ce n'est pas électrisant. Sans doute est-il nécessaire de désirer un minimum les choses avant de les avoir. Nous sommes tous les deux émus par la fin du film, et nous faisons semblant de ne pas l'être. C'est ce que j'ai fait de plus civilisé avec un homme depuis très longtemps. Les enfants sont ravis et maintenant veulent absolument un chien. Nous sommes de retour chez Tom, au moment où le soir commence à tomber, Edgar demande la permission de ramasser quelques figues mûres, les chiens abandonnés courent dans tous les sens dans le pré, piétinant les derniers rayons du soleil qui se faufilent entre les arbres et les nuages. Rey s'approche pour me saluer avec parcimonie, vieux monarque sans trône et couvert de puces.

— Pourquoi tu ne le prends pas ? me demande Tom. C'est un bon chien. Et tu lui plais. Ça ne m'étonne pas.

— Moi aussi je l'aime bien. Mais je ne sais pas, j'avais pensé que pour les enfants un chiot serait sans doute mieux. Aucun des chiens avec lesquels j'ai cohabité n'a été réellement à moi, ou ils étaient à ma mère, ou à mon mari de l'époque. Ma mère disait que j'étais incapable de m'occuper d'un chien. J'admire beaucoup le travail que tu fais ici, il faudrait mettre en prison les gens sans cœur qui abandonnent leurs chiens.

— Merci. Bon, si un jour tu te décides, tu sais où il est.

Avant que nous partions, il nous remet un sachet en plastique enroulé sur lui-même et fermé avec quantité de nœuds, Sofía l'ouvre, se met à rire et me montre le contenu.

— Alors, l'histoire de la plantation d'herbe, c'était vrai !

— J'ai pensé que ça vous ferait plaisir pour vos vacances. À bientôt.

Nous arrivons à Cadaqués très tard et nous portons les enfants endormis jusqu'à leurs lits.

Je laisse mes amis avec un gin-tonic sur la terrasse et je m'en vais dormir. Avant de me coucher, je vois que j'ai un appel manqué de Tom. Je ne le rappelle pas, il cherche quelqu'un, mais ce n'est pas moi. Je serre l'oreiller contre moi. Je demande, bien que je sache par avance qu'elle ne me sera pas accordée, une nuit paisible. J'ai un hurlement en moi, qui, d'habitude, pendant la journée, me laisse tranquille, mais la nuit, lorsque je m'étends sur un lit et que j'essaie de dormir, il se réveille et commence à rôder, comme un chat furieux, il me lacère la poitrine, crispe mes mâchoires, me cogne les tempes. Pour le calmer, parfois, j'ouvre la bouche et fais semblant de crier en silence, mais je ne parviens pas à le tromper, il est toujours là, comme fou, qui cherche à me briser. L'aube, les enfants, la pudeur et les occupations quotidiennes le réduisent au silence et l'apaisent pendant quelques heures, mais, dès que la nuit est tombée et que je reste seule, il se présente ponctuellement à notre rendez-vous. Je ferme très fort les yeux. Je les ouvre. Il est là de nouveau.

7

Le lendemain, je me réveille très tôt, je monte sur la terrasse voir la mer. Les souvenirs s'amoncellent les uns sur les autres et forment un voile compact qui, pour une fois, ne m'étouffe pas. J'imagine qu'une maison familiale, c'est cela, un lieu qui a vu passer tout le monde et où tout est arrivé. La vie, notre vie, si heureuse. Mon grand-père arrivant avec des cageots de fruits de Barcelone, Remei emportant le linge sale pour le laver, les *tocinillos de cielo* géants, ces flans andalous qui étaient la spécialité de Pepita de la Galiota et qu'elle apportait à la maison sur un plateau, le *gazpacho* de Marisa, les interminables petits déjeuners de pain grillé beurré, les serviettes de plage bariolées séchant sur la balustrade, les siestes faites à contrecœur, s'habiller pour aller au village, les glaces de l'après-midi, le tir à la carabine. Et les premières cuites, les premières amours, et les premières aubes, les drogues – glisser sur une mer de soie après avoir pris de l'acide, les personnages des tableaux du salon qui reprenaient vie et se transformaient en monstres, danser à l'aube avec une amie sur la place déserte et se cogner à un arbre –, les amis de chaque été, les nuits blanches, les fous rires, l'émotion de ne jamais savoir ce qui allait arriver, la certitude sans appel que le monde nous appartenait. Lorsque j'ai appris à avoir un petit ami, les petits amis. Lorsque j'ai été enceinte de mon premier fils. Les voyages à Cadaqués avec des enfants. Les enfants s'ouvrant le crâne sur l'anguleuse architecture des années soixante-dix, comme cela arrivait chaque année à mon frère, vingt ans plus tôt. Et les séparations. Ta vieillesse, quand les portes de la maison, qui jusqu'alors avaient toujours été grandes ouvertes pour tout le monde – je me souviens qu'on ne fermait même pas la nuit – ont commencé à se fermer, poussées par un grand vent invisible. Quand le bonheur, peu à peu, a cessé d'être ce qu'il était, même si le rituel petits déjeuners, bateau, déjeuners, siestes et parties de cartes n'avait quasiment pas changé. Voir mes compagnons de beuverie avec des enfants et le regard fatigué, quand vous êtes jeune, même épuisé, vous n'avez jamais le regard fatigué, et, à présent, il y a des jours où je peux à peine lever les yeux du sol. La mort de Marisa. Celle d'Elenita, sa fille, deux ans plus tard. Me sentir obligée de monter à Cadaqués passer quelques jours avec toi, même si je n'en avais plus guère envie, et ensuite, rien. Voir la maison vieillir avec toi, devenir solitaire et, pour finir, se transformer en toi. Et pourtant la lumière rose et blanche du matin, l'air diaphane, la mer étincelante et calme démentent toutes les tragédies du monde et s'obstinent à affirmer que nous sommes heureux et que nous avons tout. Si je ne regardais pas vers le passé, il me semblerait presque que la vie est en train de commencer, le paysage si semblable à celui de mes vingt ans. Je lève les yeux vers ta chambre, la plus grande et la plus jolie de la maison, celle qui a la plus belle vue. Parfois, tu te postais en haut des escaliers revêtue d'une de tes longues et horribles tuniques d'été – que les bonnes t'achetaient sur le petit marché, tu ne daignais même pas aller les acheter ou les choisir, convaincue que tu étais que l'élégance est une affaire non pas esthétique, mais mentale –, et tes cheveux de cendre en bataille, et de là, pareille à un général commandant ses troupes, tu donnais les ordres du jour. Parfois, nous étions en train de parler tranquillement sur la terrasse, en nous balançant dans les hamacs et, soudain, tu mettais ton grain de sel dans la conversation depuis ta chambre avec un commentaire amusant ou méchant. Aujourd'hui, personne n'occupe cette pièce, peut-être que j'y installerai Guillem avec Patum, moi, je ne peux même pas y entrer. Je fuis la maison avant que les autres se réveillent, j'ai besoin d'un café et j'aimerais aller au cimetière. Le village est envahi d'estivants, mais, à cette heure-ci, il a l'air en paix, les habitants les plus matinaux achètent le pain et le journal, décident du menu du déjeuner avant de sortir naviguer ou de faire les devoirs avec leurs fils ou leurs filles. Des matins où choisir ce que l'on va manger à midi et tartiner de crème solaire les enfants sont les seules choses qui comptent. À cette heure-ci, il n'y a pratiquement pas de jeunes dans la rue. Je suppose qu'ils dorment. C'est ce que je regrette le plus de la jeunesse, pouvoir dormir à poings fermés. Maintenant, quand je m'étends sur un lit j'ai l'impression de me coucher dans un cercueil. Certains jours, pour ne pas avoir à affronter ça, je m'endors, toute recroquevillée, sur le canapé. Avoir du sexe, c'est relativement facile, mais que quelqu'un vous tienne entre ses bras toute la nuit, c'est une autre histoire, et même cela ne garantit pas un sommeil agréable ; il y a des hommes foncièrement inconfortables. La brise tiède du matin fait flotter sur ma peau la robe de soie que je porte, pareille à du papier à cigarettes. Parvenir à ne pas peser et à ce que rien ne pèse, et avec cette tristesse, tout pèse des tonnes. Au kiosque à journaux de la place, où je vais depuis mon enfance, on me présente les condoléances, de nouveau, avec discrétion, presque avec honte. Je suis toujours reconnaissante qu'on ne fasse pas de la tristesse et de la solidarité un spectacle, ne pas le faire avec l'amour est plus difficile, il y a un je-ne-sais-quoi de fluorescent dans les couples d'amants, comme s'ils se trouvaient dans l'œil d'un cyclone, comme si aucun vent ne pouvait les emporter, nous ne sommes jamais aussi forts que lorsque nous sommes amoureux et que l'on nous aime, et cette expérience met la barre si haut que, dans mon cas du moins, seule la brève étincelle du sexe peut servir de substitut, l'amour de basse intensité ne marche pas, parce qu'il n'existe pas. Au cours de ma promenade, je croise Joan, le maire, il porte un bermuda bleu foncé et une chemise blanche immaculée, il est bronzé et a toujours l'air content. Nous nous connaissons depuis l'enfance, et il avait été très aimable quand je lui avais écrit pour lui dire que tu aimerais être enterrée ici. Il m'avait répondu que oui, ça pouvait s'arranger, et que tant qu'il y avait de la vie, rien n'était perdu. Moi, je savais que tout était déjà perdu, mais je lui avais été reconnaissante pour ses paroles et pour son aide. Je crois que tu es enterrée dans l'un des lieux les plus beaux du monde, un jour, bientôt, maintenant que, du haut de ma bonne santé et de mes quarante ans, je peux encore regarder ma mort en face, je m'achèterai la niche voisine de la tienne, on voit le lever du jour de là, nous n'aurons même pas besoin de nous redresser. Joan est bel homme, courtois et charmeur. Peut-être un peu trop attirant pour être un politique. Chaque fois que je le vois, je lui demande s'il est vraiment maire de Cadaqués. Ça le fait se tordre de rire. Les voies du marivaudage sont impénétrables. Qu'un ami à moi soit maire me paraît incongru et extraordinaire, comme si tout le monde aurait dû rester avec moi dans la cour de l'école, à sauter à la corde et à rêvasser. Mon père affirmait qu'être maire de Cadaqués devait être le meilleur boulot du monde, même si je ne le lui ai jamais entendu dire, c'est toi qui me l'as raconté. Je ne me souviens pas non plus d'avoir été avec lui à Cadaqués, vous vous êtes séparés lorsque nous étions très petits. Presque tout ce que je sais de lui, je le sais par toi. Je me souviens d'un jour, dans l'avant-dernière résidence où tu as séjourné, d'où on t'a expulsée pour mauvais comportement; en réalité, c'était beaucoup plus grave que ça, la maladie de Parkinson grignotait lentement ton cerveau et ça a été comme une digue qui cède; et ton extraordinaire esprit ayant perdu le contrôle, l'eau a commencé à recouvrir tout le reste. La réalité, c'était que tu étais déjà trop malade pour vivre dans cet appart-hôtel de luxe pour personnes âgées, même si tu t'étais obstinée, furieuse et désespérée, mais surtout furieuse, à affirmer que ce n'était pas vrai. Ce jour-là j'ai essayé de parler avec toi et de te demander d'être raisonnable, de déposer les armes, de cesser de rejeter notre aide, essayé de te dire que si c'était ça la fin, nous devrions y faire face correctement, comme nous avions toujours dit que nous le ferions, avec dignité, avec calme, en paix. Et j'ai donné en exemple mon père et sa force de caractère face à la maladie et à la mort. On m'avait raconté – tu m'avais raconté – que déjà très malade, un jour, à l'hôpital, il avait dit : « Compte tenu que la vie est une saloperie, la mienne a été très bien. » Et toi, me regardant au milieu de tes ténèbres, tu m'as dit :

— La mort de ton père ne s'est pas passée comme ça, pas comme tu penses.

Je n'ai pas eu le courage de te demander comment elle s'était passée et tu n'as rien ajouté de plus, tu as laissé cette phrase empoisonnée flotter entre nous, tu as enfoui son poison en moi. Est-ce que tu l'as fait dans un accès de lucidité ou de démence ? Je ne sais pas. Je ne saurai jamais, et je ne veux pas le savoir, si papa est mort en criant, terrifié, ou avec la dignité héroïque qui m'a aidée, moi, petite fille stupide, à vivre pendant tant d'années.

J'entre dans le Marítim pour prendre mon petit déjeuner et, tout à coup, je vois, à l'une des tables des habitués – les touristes s'assoient à proximité de la plage, les gens du cru aux tables les plus proches de la baie vitrée, les plus protégées du vent, celles qui vous permettent de voir qui entre et qui sort – le bel homme mystérieux de ton enterrement. Je le reconnais immédiatement, une tête grande et puissante, un regard vif et rapide, un peu moqueur, une barbe châtain, des cheveux plus blonds, drus et désordonnés, un grand nez, des lèvres épaisses camouflées par la barbe, un corps élancé, mais robuste. Il lit le journal, en sentant quelqu'un approcher, il lève les yeux. Un sourire m'échappe et l'un et l'autre détournons très vite le regard. De toute façon, je n'ai pas trop envie d'entendre d'autres condoléances, ni d'imposer ma tristesse et ma lassitude à un inconnu. Et, pourtant, je sens que mon corps s'est tendu, je retire mes lunettes de soleil et remonte un peu ma jupe. Je crois que je partage avec la plupart des femmes de la planète, et peut-être avec le pape et quelque autre chef religieux, l'idée folle que seul l'amour nous sauvera. Les mecs, et certaines nanas futées, savent que le travail, l'ambition, l'effort et la curiosité nous sauvent aussi. De toute manière, je crois que personne ne peut vivre sans une certaine quantité d'amour et de contact physique. En deçà d'un certain seuil, nous pourrissons. Les prostituées sont indispensables, il devrait y avoir des putains de l'amour, aussi. Mais l'amour est si difficile à reproduire et à feindre, c'est quelque chose de tellement laborieux, long et souterrain. De tellement destructeur, aussi.

— À qui tu es en train de faire du gringue, là ?

Sofia s'assoit à côté de moi et pose son énorme cabas en paille sur une chaise.

— Du gringue, comment tu sais ça ?

— Poitrine en avant, bien cambrée, c'est ton mode drague. Et on voit ta culotte.

Je ris.

— Ce n'est même pas vrai. En plus, c'est un maillot de bain.

— Non, non, mais je trouve ça parfait.

Puis elle s'adresse au garçon de café qui passe avec un plateau de croissants et de tartines beurrées :

— Vous pouvez m'apporter une *caña*, s'il vous plaît ? Toute petite, et elle indique une dimension minuscule entre l'index et le pouce. J'ai un peu la gueule de bois.

Je la regarde du coin de l'œil, elle est si menue, avec son short à pinces, son tee-shirt rayé et ses lunettes papillon. Elle a les cheveux bruns, sur les épaules, toujours impeccables, elle les lave et les lisse tous les jours, où qu'elle soit. La peau uniformément bronzée. Une bouche parfaite, avec un petit grain de beauté sur la lèvre supérieure. Des yeux expressifs. Un corps mince, nerveux et bien proportionné.

— Tu te souviens que je t'ai raconté qu'à l'enterrement il y avait un très bel homme que je ne connaissais pas ?

— Oui, je m'en souviens.

— Eh bien, il est ici.

— Quoi ?

Elle jette un regard autour d'elle avec la discrétion frénétique d'un ornithologue à qui on aurait dit qu'un volatile disparu passe au-dessus de sa tête. Elle sourit :

— Je sais qui c'est. L'homme à côté de la baie. Je te connais bien ou pas ?

Je me mets à rire de nouveau.

— Comment tu as deviné ?

— C'était très facile. Il a tout pour te plaire : le grand nez, le corps musclé mais mince, l'élégance décontractée de ceux qui se sentent bien partout. La simplicité. La tête forte. Le tee-shirt et les espadrilles, usés, décolorés. Le jean coupé. Rien à prouver, aucun signe extérieur de rien, ni bracelets, ni tatouages, ni montre chère. C'est ton type. Va lui dire bonjour.

— Tu es folle? Même pour rire, je crèverais de honte. Peut-être qu'il ne se souvient pas de moi. Le jour de l'enterrement, je n'étais pas au mieux de ma forme.

— Qu'est-ce que tu racontes? Tu étais sublime, tu avais une expression triste et abîmée en toi-même qui, de fait, ne t'a pas quittée depuis.

— Ça s'appelle de la dépression. Je me demande pourquoi il était à l'enterrement et s'il connaissait ma mère.

— Va lui poser la question!

— Non, non, ce n'est pas important. Un autre jour.

— Comment tu sais qu'il y aura un autre jour?

— Il y a toujours un autre jour. Bon, pas toujours. Mais ce type habite le coin, c'est sûr.

— Cause toujours. Espèce de trouillarde.

À cet instant, le bel inconnu se lève. Sofia me donne un coup de coude et on reste là, elle et moi, muettes, à le regarder. Il fait quelques pas en direction de la sortie, s'arrête, se tourne vers nous et nous salue d'un mouvement très timide de la tête. Sofia lui rend son signe en agitant la main de manière démonstrative, comme si elle disait adieu aux passagers d'un transatlantique géant.

— Je te préviens. Si tu n'essaies pas de le draguer, c'est moi qui vais le faire.

— Absolument d'accord.

Nous en sommes là lorsque Guillem appelle pour me dire qu'il arrivera demain. Sofía ne l'a jamais rencontré et elle est très curieuse de le connaître. J'ai du mal à imaginer deux personnes plus différentes. Sofía, frivole, généreuse, tolérante, honnête et transparente, tellement enthousiaste et enfantine, passionnée et narcissique. Et Guillem, qui est l'homme le plus narquois, ironique et naturel que je connaisse. Avec des principes intangibles, sans aucune patience pour les bêtises. Sofía est capable de m'appeler à peine le soleil levé pour me dire qu'elle n'a pas pu dormir de toute la nuit parce qu'elle se trouve dans une phase d'extrême créativité, pendant laquelle elle ne cesse d'avoir des idées pour transformer et combiner les vêtements de la saison passée, alors que Guillem s'habille presque exclusivement de vieux tee-shirts que dessinent et vendent ses élèves du lycée pour partir en voyage scolaire à la fin de l'année. Elle est menue, délicate comme une poupée chinoise articulée, et lui, qui était aussi mince lorsque je l'ai connu que l'est notre fils maintenant, s'est transformé en un homme solide et vigoureux, ce qu'il a toujours été. Notre intérieur nous rattrape toujours. Nous finirons en étant qui nous sommes, la jeunesse, la beauté ne servent qu'à nous camoufler pendant un certain temps. Par moments, je crois que je commence à entrevoir le visage qu'auront mes amis, j'ignore tout de celui qu'auront mes fils, il est trop tôt, la lumière de la vie se déverse en eux à flots, ils réverbèrent, et j'ose à peine regarder le mien du coin de l'œil, de loin. Le tien, maman, a disparu derrière le masque dont la maladie t'a affublée. J'essaie chaque jour de revoir ton visage, de traverser les dernières années et de me retrouver face à ton véritable regard, avant qu'il ne se pétrifie. C'est comme si l'on avançait un marteau à la main et que l'on démolissait à mesure des murs. C'est ça aussi qui arrive avec la tristesse qui se dépose sur nous et nous recouvre peu à peu, pareille à de très fines couches de verre crissant. Nous sommes comme le petit pois du conte, enfoui sous mille matelas, une lumière brillante qui scintille faiblement. Comme dans les contes, seul l'amour véritable, et encore pas toujours, parvient à mettre fin au chagrin. Le temps émousse toute peine, de la même manière qu'il nous affaiblit peu à peu, comme un dompteur de fauves.

Sofía vide son demi de bière pendant qu'Elisa, qui vient d'arriver avec Damián, décide du menu du déjeuner. Sofía propose de s'occuper du vin. Moi, je profite d'être en deuil et que l'on s'attend que je m'occupe encore moins que d'habitude, ce qui n'est pas peu dire, des tâches domestiques, pour décider d'aller m'offrir une pédicure. J'irai au cimetière à un autre moment, cet après-midi, demain.

Il n'y a qu'une parfumerie-droguerie dans le village. Une petite boutique, juste face à la mer, pleine de produits et de parfums, avec le charme de ce qui est passé de mode, la légère odeur fanée de talc et de rose, et une minuscule cabine au fond pour les soins de beauté. C'est une dame d'un âge moyen, plus moyen que le mien, qui pratique la pédicure et m'informe qu'elle est, en plus d'esthéticienne, sorcière. Je lui dis que moi aussi.

— Je suis une sorcière et je suis sorcière. Non seulement je suis méchante mais j'ai des pouvoirs.

Elle ne dit pas un mot et me fixe d'un air soupçonneux, en plissant les yeux. Elle n'a pas l'air d'une sorcière. Heureusement, elle est habillée comme une provinciale. Jupe marron jusqu'aux genoux, chemise blanche à manches courtes avec de minuscules fleurs bleu pastel, sabots blancs d'infirmière. Elle est blonde, très bien coiffée et maquillée, un peu rondouillarde et maternelle. Il faut dire que, dernièrement, n'importe quelle femme plus âgée que moi me semble maternelle et me donne envie de me précipiter dans ses bras.

Je m'allonge sur la couchette et elle commence à me masser les pieds, je ferme les yeux et respire profondément. Depuis ta mort, la seule chose qui me soulage, c'est le contact physique, si fugace, accidentel ou léger qu'il soit. J'ai refermé tous les livres, je suis incapable de m'en servir comme consolation cette fois-ci, ils me renvoient trop à toi, à ta maison tapissée d'étagères, à ton méticuleux nettoyage annuel de la bibliothèque l'aspirateur à la main, à nos expéditions à Londres à la recherche d'un trésor de littérature de jeunesse illustré, aux heures passées ensemble assises sur le lit de l'hôtel, moi, plus distraite, allant et venant, faisant d'autres choses, et toi, absolument absorbée, comme une petite fille.

« On peut savoir si quelqu'un aime vraiment les livres à la manière qu'il a de les regarder, de les ouvrir et de les refermer, de tourner les pages », disais-tu.

Je pensais et parfois j'ajoutais : comme avec les hommes. Tu me jetais un regard, mi-scandalisée, mi-amusée, à moitié grande dame, à moitié femme qui n'avait pas perdu une seule occasion de s'amuser dans la vie, et tu éclatais de rire. Nous n'avons jamais été des confidentes, une mère et une fille qui se racontent tout, jamais été des amies, jamais partagé de secrets intimes, je crois que nous avons toujours essayé d'être la version la plus présentable de nous-mêmes face à l'autre. Je me rappelle ta stupéfaction le jour où tu m'as dit que, peut-être, si je n'avais pas mes règles bientôt, il faudrait aller chez le médecin, et que j'ai répondu, le plus naturellement du monde, que cela faisait deux ans que j'étais réglée et que je ne t'en avais pas parlé parce que ce n'était pas tes affaires. Nous étions en voiture, tu as donné un coup de frein brusque, tu m'as fixée quelques secondes bouche bée, puis tu as accéléré en entendant les klaxons frénétiques des autres véhicules, et il n'a plus été question de ce sujet entre nous.

Je ne peux plus ouvrir un livre sans penser à

toi, avec les hommes c'est très différent. J'ai su, instinctivement, très jeune, que je devais préserver de toi cette partie de ma vie, ou alors tu l'envahirais aussi avec ton égoïsme, ta générosité, ta lucidité et ton amour. Tu m'as observée tomber amoureuse, et ne plus l'être, me casser la figure et me remettre debout, te tenant à une distance prudente, jouissant de mon bonheur et me laissant souffrir en paix, sans faire de simagrées ni donner trop de conseils. En partie consciente, je suppose, que l'amour de ma vie c'était toi, et qu'aucun autre amour déchaîné ne pourrait rivaliser avec le tien. Après tout, nous aimons comme nous avons été aimés dans l'enfance, et les amours qui viennent après ne peuvent être le plus souvent que la réplique du premier amour. Je te dois, donc, toutes mes amours suivantes, même l'amour sauvage et aveugle que je ressens pour mes fils. Je ne peux plus ouvrir un livre sans désirer voir ton visage calme et concentré, sans savoir que je ne le verrai plus, et peut-être ce qui est plus grave encore, qu'il ne me verra plus. Je ne serai plus jamais regardée par tes yeux. Lorsque le monde commence à se dépeupler des êtres qui nous aiment, nous nous transformons peu à peu, au rythme des morts, en inconnus. Ma place dans le monde était dans ton regard et cela me paraissait si incontestable et éternel que je ne me suis jamais inquiétée de vérifier où elle se trouvait. Ce n'est pas mal, j'ai réussi à être une petite fille jusqu'à avoir quarante ans, deux enfants, deux maris, plusieurs liaisons, plusieurs appartements, plusieurs boulots, espérons que je sache négocier la transition à l'âge adulte et que je ne me transforme pas directement en une vieille dame. Ça ne me plaît pas d'être orpheline, je ne suis pas faite pour la tristesse. Ou peut-être que si, peut-être suis-je à la mesure exacte du chagrin, peut-être est-il désormais le seul vêtement qui m'aille.

— Je perçois qu'il y a un nœud en toi. Beaucoup de tension, me dit la sorcière esthéticienne. Je peux poser mes mains sur ton cœur?

J'accepte en rechignant. En principe, ma poitrine n'est pas destinée aux mains de femmes inconnues d'âge moyen, si sorcières soient-elle. Elle les pose très doucement, je sens sa chaleur à travers la soie de mon vêtement. Mais je suis trop consciente de l'intimité de son geste pour pouvoir me décontracter. Au bout de trente secondes, elle les retire.

— Tu es fermée, tu es dure comme la pierre, comme si tu avais le cœur enfermé dans une cage.

— Ma mère vient de mourir.

— Ah. Bien.

Ça la laisse sans voix, ce qui prouve sans aucun doute possible qu'elle n'est pas ce qu'elle prétend être. Une vraie sorcière devrait avoir plus de ressources face à la mort.

— Bien, ajoute-t-elle enfin. J'ai quelques huiles essentielles qui servent à ouvrir le cœur, tu les fais brûler le soir, avant d'aller dormir...

Je l'interromps, je pense que je n'aurais pas dû la laisser toucher mes seins :

— Je regrette, mais j'ai horreur du baratin ésotérique. Je ne crois ni en la médecine naturelle, ni en l'homéopathie, ni en rien de ce genre.

— Tu ne crois même pas aux Fleurs de Bach ? me demande-t-elle, horrifiée, agrippant avec force le bijou qu'elle porte autour du cou, une petite croix d'or ornée d'un minuscule rubis en son centre.

— Même pas en ça.

Elle me regarde d'un air peiné, plus contrite parce que je ne crois pas en ses ésotérismes que par la mort de ma mère.

— C'est que mon grand-père était médecin, chirurgien, chez moi on ne croyait que dans la science, dis-je en guise d'excuse.

Elle finit son travail en silence. Je regarde mes pieds, j'ai déjà les ongles en feu. Au moment où je sors, la sorcière esthéticienne me donne deux petites fioles avec des huiles essentielles.

— Elles te feront du bien, tu verras. Prends soin de toi.

Je pense que je vais les refiler aux enfants pour qu'ils concoctent des potions magiques. Eux, ça oui, ils savent y faire.

8

Elisa déboule en minijupe en jean, débardeur aux bretelles blanches et sandales argentées pas du tout assorties. Elle est très bronzée et arbore une chevelure flottante, longue et vaporeuse. Je pense avec une pointe d'envie qu'elle s'est habillée pour Damián. S'habiller pour un homme en particulier, c'est complètement différent que de s'habiller pour tous les hommes en général, ou pour personne, ce qui est mon cas ces derniers temps. De toute façon, les gens les plus élégants sont souvent ceux qui s'habillent pour eux-mêmes. Elle n'est pas grande, elle a un joli corps, mince et féminin, dont le centre d'attraction est le postérieur. Chaque fois que je lui dis que j'aime ses mains, nerveuses, fines et presque aussi grandes que les miennes malgré notre différence de taille, elle me répond humblement : « Ce sont des mains pour faire des choses. » Et c'est vrai, ce sont des mains pratiques et réalistes, ce ne sont pas des mains pour déchiqueter des lions, comme celles des hommes qui me plaisent, pas plus que des mains pour déchirer les âmes, invoquer les dieux et porter des bagues anciennes, comme les tiennes, même si je suis sûre qu'elles apaisent aussi la fièvre et éloignent les cauchemars. Si elle n'était pas là, je ne crois pas que nous mangerions tous les jours. Pour ne pas avoir à faire la cuisine, Sofía et moi sommes capables de nous alimenter de yaourts, de toasts, et de vin blanc. Nos enfants sont en si bonne santé, ils sont si robustes qu'il m'arrive de penser qu'il suffirait de les arroser un peu.

Nous sommes invités à dîner chez Carolina et Pep, un dîner auquel assiste aussi Hugo, le meilleur ami de Pep, qui passe quelques jours chez eux. Je pense sans m'y attarder vraiment que c'est un autre homme avec qui flirter tandis que Sofía et Elisa parlent de chaussures.

À cet instant arrive Edgar, tout en jambes et bras dorés, longs et souples. Nico est encore un délicieux faon, Edgar se transforme déjà en cerf. Il a la démarche lasse, alanguie, on dirait qu'il brasse l'air, c'est ainsi qu'il se déplace en ma présence depuis qu'il est adolescent, comme si tous les lieux étaient ennuyeux, ou qu'il les avait déjà arpentés un million de fois auparavant. Il parle de la même façon, il a la flemme de finir les mots, de raconter, d'expliquer, il est en vie un point c'est tout. Une fois par mois environ, il est pris d'une envie de parler et, pendant deux heures de suite, il me raconte ses aventures au lycée. Mais comme il a quasiment perdu l'usage de la parole, du moins avec moi, et qu'il parle à toute allure tout en se tordant de rire et en mangeant, ses accès d'éloquence le prennent souvent au moment du dîner; moi, bien que je fasse d'énormes efforts de concentration, que je tende l'oreille du mieux que je peux, je ne comprends presque rien de ce qu'il me dit. Alors, après avoir répété chaque histoire trois fois, il me fixe, se rend compte qu'il est en train de parler avec sa mère, me lance que je ne capte rien, et se tait jusqu'au mois suivant. L'autre conversation traditionnelle que nous avons une fois par mois est celle de la série « La vie est merveilleuse ».

— Vous vous rendez compte de la chance que nous avons? Regardez ces arbres, si beaux. Regardez la rue. Respirez profondément, leur dis-je pendant ces moments d'euphorie vitale qui me saisissent de temps à autre, grâce au vin, ou aux baisers, ou à mon propre corps, dont la vigueur physique et les dernières gouttes de jeunesse, certains jours, sont comme des cadeaux.

Alors Edgar me fixe avec une tête de circonstance, tandis que Nico fait une tentative de respiration profonde, et il me dit qu'ils le savent déjà, que je le lui ai répété mille fois, et que cette rue que je trouve si remarquable aujourd'hui est notre rue, par laquelle nous passons quatre fois par jour, que ce qu'il veut, lui, c'est aller à Florence, comme je le lui ai promis il y a deux ans. Toi, tu le menaçais toujours de ne pas partir en Égypte. « Si tu te conduis mal, nous n'irons pas en Égypte », lui disais-tu. Finalement, la révolution et ta maladie vous ont empêchés d'y aller.

Le dernier voyage que tu as voulu faire, c'était à Florence. Lorsque je t'ai dit que je n'étais pas capable de m'occuper de toi et d'Edgar à la fois, que si ton état de santé s'aggravait, si loin d'ici, je ne saurais pas ce que nous pourrions faire – à Barcelone, la ronde des ambulances et des fauteuils roulants et des virées au petit matin aux urgences avait déjà commencé –, tu t'es fâchée très fort et tu m'as accusée de toujours tout gâcher. Marisa voulait aller à Rome et je lui avais promis qu'une fois qu'elle serait sortie de l'hôpital nous irions là-bas, nous avions prévu qu'elle s'installerait quelque temps chez toi, qu'elle m'apprendrait à faire son célèbre *gazpacho* et ses mythiques *croquetas*, puisqu'il était impensable qu'elle retourne vivre seule à Cadaqués. Mais il était déjà trop tard. Je ne me trouvais pas avec elle non plus au moment de sa mort soudaine, ni les deux jours précédents, totalement inconsciente que j'étais qu'à l'intérieur d'un hôpital la vie s'écoule plus rapidement qu'à l'extérieur, que les mèches se consument plus vite, que la vie et la mort, comme Bip-Bip et Coyote dans le dessin animé, disputent des courses folles dans les couloirs aseptisés, esquivant, frénétiques et surexcités, les infirmières et les visiteurs, dérapant et nous pourrissant la vie. Peut-être partons-nous tous avec un voyage en suspens, envisageons-nous des voyages lorsqu'ils sont déjà impossibles, comme si nous essayions d'acheter du temps, même si nous savons que le nôtre s'est épuisé et que personne ne peut nous faire cadeau d'une seule minute de plus. Ce qui doit être intolérable : avoir les yeux encore ouverts et penser qu'il y a des lieux que vous ne reverrez plus jamais, que les possibilités se ferment avant vos yeux.

Arrivé en haut des marches, Edgar nous toise toutes les trois d'un air méprisant et marmonne :

— J'ai faim. On y va ?

Tout de suite après, Daniel et Nico montent, accompagnés d'Úrsula, qui nous voit et s'exclame :

— Qu'est-ce que vous êtes belles !

Sofía s'est glissée dans un splendide vêtement indien couleur lie-de-vin, qui lui arrive aux pieds, parsemé de minuscules miroirs ronds, qu'elle a acheté chez un brocanteur, et porte de grandes boucles d'oreilles en argent. J'ai opté pour mon pantalon fuchsia en coton délavé qui a du mal à ne pas tomber, une chemise élimée en soie noire à pois verts, des sandales et un vieux bracelet de ma mère, que parfois j'aime et qui d'autres fois me paraît aussi lourd que des fers de forçat. Elisa s'est habillée comme si nous sortions pour danser la salsa. Úrsula a enfilé un tee-shirt hyper-moulant jaune avec des palmiers argentés et un jean violet deux tailles trop petit. Nous avons l'air d'une bande de clowns. Heureusement, les enfants, avec leurs polos, leurs bermudas et leurs tongs, nous offrent une certaine respectabilité estivale.

Carolina et Pep ont un petit appartement juste au-dessus de chez nous, qui fait partie d'une résidence d'été construite au début des années 1970 avec beaucoup de ciment peint en blanc, des escaliers en bois rouge, de longs couloirs et de grandes baies vitrées offrant de magnifiques vues sur le village et la rade. Pendant mon enfance, les appartements se sont transformés en une sorte de communauté hippie, occupés par des personnages pittoresques de toute la planète, et je me souviens de m'être endormie, chaque nuit, sur fond de musique, de rires et de cris de ce groupe de beaux naufragés de l'été, qui, une fois la saison passée, retournaient aux Pays-Bas, aux États-Unis ou en Allemagne, ces pays qui me paraissaient les plus fascinants et les plus exotiques au monde. J'ai grandi, les hippies sont devenus vieux et les appartements se sont remplis d'individus modernes, respectables et riches, des années 1990. Mais nous, qui avons eu la chance de pouvoir entrevoir par le trou de serrure de notre enfance les derniers soubresauts de l'esprit des années 1960, la liberté sexuelle, la liberté tout court, l'envie de s'amuser, l'audace, le pouvoir pour les jeunes, nous ne nous en sommes pas tirés indemnes. Nous avons tous des paradis perdus où nous n'avons pas vécu.

Pep et Hugo préparent le dîner. Ils ont enfilé leur tenue soirée d'été. Jean propre, vieux tee-shirt parfaitement délavé pour Pep et chemise d'un blanc éclatant aux manches retroussées pour Hugo. Ils sont bronzés. Hugo fait du footing, porte des bracelets de fil, il sent un peu le patchouli et la vanille, et travaille à quelque chose comme diriger une entreprise. Pep est photographe, il se rase la tête, il a une voix profonde, il est grand et mince, sensible, discret et très amusant. On voit bien que ce sont des amis de longue date, ils racontent les anecdotes à moitié, ils se moquent l'un de l'autre, chacun parle de l'autre comme de « mon ami ». Il n'y a pas de fissures, pas de doutes, ils se retrouvent chaque semaine pour voir un match de foot et boire des bières. Parfois, j'envie l'amitié masculine, vue de l'extérieur, elle a l'air d'un chemin moins tortueux, plus simple que l'amitié entre femmes. Pour nous, ça ressemble davantage à des fiançailles interminables, accidentées, intenses et passionnelles, alors que chez eux, le plus souvent, on dirait plutôt un mariage bien assorti, sans grandes émotions peut-être, mais sans montagnes russes.

— Vous avez faim ? demande Pep aux enfants.

— Très faim, répond Sofía en se jetant sur le houmous.

Nous nous asseyons autour de la table de jardin. Hugo débouche le vin et s'assoit à côté de moi, souriant.

— Tu es superbe.

— Pourtant ce matin, Nico m'a dit que j'avais une tête de pâtée pour chat. Et les enfants ne mentent jamais.

— C'est une légende urbaine. Les enfants mentent autant que les adultes.

— Tu as raison. Moi, je mens tout le temps. Et ce n'est même pas l'un de mes pires défauts.

Nous nous mettons à rire tous les deux. Il dit que nous devrions aller dîner un jour en tête à tête et j'essaie de le convaincre que je suis une calamité et que ce n'est pas la peine de m'inviter à dîner. La technique masculine de séduction qui consiste à énumérer, hypocritement, nos défauts (même en solde personne ne veut de moi, ne perds pas ton temps) fonctionne assez bien, comme je peux le vérifier, amusée, tout en mangeant et jouant avec mon portable. Maintenant, je ne le perds plus tous les jours. Pendant ta maladie et jusqu'à ta mort, le portable s'est transformé en quelque chose de diabolique, le messager de ta souffrance et de ton angoisse. Tu appelais à l'aube pour exiger que je passe chez toi, pour me dire que tu avais peur, que la dame qui s'occupait de toi voulait te tuer. Jusqu'à un certain point, ce devait être vrai. Je ne sais pas combien d'auxiliaires de vie tu as eues au cours des derniers mois, mais je suis devenue une spécialiste en entretiens de candidates, la plupart d'entre elles ne tenaient pas plus de deux jours. Tu ne les laissais pas dormir un seul instant, tu leur volais les médicaments, il y avait des cachets répandus par terre dans toute la maison, entre tes draps, tes papiers et les pages des livres, j'en suis arrivée à craindre pour la santé des chiens ; tu les renvoyais deux ou trois fois par jour, et finalement tu as même giflé l'une d'entre elles. Quelle tristesse que ce soit toi le personnage principal de tant de scènes grotesques. Si, au bon vieux temps, on nous les avait racontées à propos de l'une de nos connaissances, on aurait été mortes de rire. Notre arme contre le malheur et la mesquinerie était presque toujours le rire. La maladie, la douleur, que tu t'inventais, selon certains médecins, t'ont convertie en un monstre d'égoïsme. Lorsque je te disais que je ne pouvais pas laisser les enfants seuls à quatre heures du matin, tu t'indignais et tu me raccrochais au nez brutalement. La plupart de nos conversations des derniers mois s'achevaient comme ça. Chaque fois que mon portable sonnait et que je voyais que c'était toi, mon cœur se mettait à battre à tout rompre. J'ai fini par l'éteindre, j'oubliais de le recharger, je le laissais traîner n'importe où, je le perdais exprès. Je pensais, en pressant la touche pour répondre, aujourd'hui elle m'appelle juste pour me dire qu'elle m'aime et qu'elle s'en veut de m'avoir abandonnée, et tu m'appelais pour parler d'argent et me reprocher de t'avoir abandonnée. J'ai fait ce que j'ai pu, parfois j'ai fait ce que j'avais à faire, pas toujours, je ne suis pas très forte pour affronter la détresse. Je le regrette. Peut-être, toi, à ma place, te serais-tu mieux débrouillée. Pendant des années tu as dit que tu n'aimais pas ta mère, tu croyais qu'elle n'était pas une bonne personne, qu'elle ne t'avait jamais aimée. Ce n'est qu'à la fin que tu as changé d'avis. Au cours des derniers jours à l'hôpital, tu m'as appelée « maman » plusieurs fois. Ma grand-mère a eu une mort distinguée et silencieuse, élégante et impavide, comme cela seyait à sa condition et à son caractère. Avec toi, ça a été un bazar sans nom. Personne ne vous prévient que tout le temps que votre mère mettra à mourir vous devrez vous transformer en sa mère. Et, maman, on ne peut pas dire qu'en tant que fille tu m'aies donné beaucoup de satisfactions, vraiment. Tu n'as pas été une enfant facile du tout. Mais depuis que Santi est réapparu, mon portable a repris son caractère ludique, nous sommes toujours à un message de ce qui peut arriver. Et ce qui peut arriver est presque toujours plus excitant que ce qui est en train de se passer. Le sexe me plaît, il me cloue au présent. Ta mort aussi. Pas Santi, Santi est comme mon portable. Je suis toujours à attendre que quelque chose de merveilleux ait lieu, qui n'arrive jamais. Quand je l'ai connu, il s'était séparé de sa femme, qui vivait une grande histoire d'amour avec un ami à lui. Mais l'histoire avec l'ami n'avait pas fonctionné, et Santi, qui est un brave type, était retourné chez lui, prêt à panser les plaies de sa femme et à rafistoler une relation qui depuis longtemps avait remplacé le sexe, la curiosité et l'admiration par le confort, la camaraderie et les enfants. Et notre histoire, qui après quelques semaines avait commencé à agoniser – la plupart des amours durent soit deux mois, soit toute la vie –, avait ressuscité avec l'éclat de l'impossible, de l'inaccessible, du mythique. On y a cru tous les deux. Moi, parce que, pendant ces mois-là, je n'avais rencontré personne qui me plaise davantage. Lui, parce qu'il s'était rendu compte très rapidement que sa femme et lui avaient repris leur histoire exactement au point où ils l'avaient laissée, à la dernière page, juste avant de finir le livre. Il n'y a pas de marche arrière dans une histoire d'amour, une relation est toujours une voie à sens unique.

Je reçois un message de Santi à cet instant. Il vient d'arriver, il a très envie de me voir. Et ma tête cède à mon corps, ta mort recule de quelques pas et, comme par magie, mon sang gelé commence à circuler de nouveau. Je plaisante avec les enfants, je m'approche pour humer le repas, je me couche sur le sol pour jouer avec ma filleule, je serre dans mes bras Sofía, je murmure à l'oreille de Pep que nous avons une montagne de marijuana, je caresse le chat, je dévore des olives comme une folle, j'oblige tout le monde à sortir dans le jardin pour regarder la lune, je mets de la musique et je m'approche d'Elisa pour lui dire que nous devrions sortir danser.

— Il m'a envoyé un SMS, dis-je à voix basse à Sofía.

— Je pensais bien que c'était quelque chose comme ça. D'un coup, tu as changé de tête.

— C'est bizarre. En réalité, il ne me plaît pas tant que ça.

— Blanquita, je crois qu'il te plaît plus que tu ne veux le reconnaître.

— Je ne sais pas, peut-être.

Le repas a lieu autour de la table du jardin. Ils ont allumé des bougies et deux lampions chinois qui se balancent aux branches de l'olivier et projettent des ombres sur la cuirasse immaculée du poisson en croûte de sel que les hommes ont préparé, il y a aussi une salade de tomates et de concombres, des *croquetas*, du pain aux olives à peine sorti du four. Enfants et adultes sont bronzés et ont l'air heureux. Les corps alanguis et las, les yeux ensommeillés d'avoir passé toute la journée au soleil, à naviguer. Les anecdotes partagées et mille fois répétées des personnes qui ont passé beaucoup de temps ensemble et s'entendent toujours bien. Pendant un moment, je pense prendre le café tranquillement et ne pas répondre au message. Nina, ma filleule, s'endort dans le giron de sa mère. Edgar essaie de se servir de la bière en douce, mais Elisa lui jette un regard menaçant et il y renonce. Nico écoute avec attention la conversation des adultes, tandis que le petit Dani joue avec sa collection de trains. Hugo m'accuse d'être une femme ennuyeuse. Carolina prend ma défense et Pep se met à raconter des histoires sur les pauvres conquêtes de Hugo, qu'il abandonne tous les jours à l'aube pour pouvoir faire son sacro-saint footing matinal. Je ne sais pas si la vie aurait vraiment du sens s'il n'y avait pas les nuits d'été. Je reçois sur ces entrefaites un autre message de Santi où il me propose de nous retrouver devant l'église pour me donner un baiser de bonne nuit. Je me lève, comme sous l'effet d'un ressort.

— Je dois sortir un moment. Je reviens tout de suite.

Ils me regardent tous l'air surpris.

— Il se passe quelque chose, chérie ? Tu vas bien ? demande Carolina sur un ton inquiet.

— Oui, oui, je vais très bien. Je vais juste acheter des cigarettes, dis-je sans pouvoir m'empêcher de rire.

— D'accord, dit Sofía.

Carolina me fixe, le visage sérieux, depuis l'autre extrémité de la table. C'est la seule de nous qui entretient une relation longue avec un homme merveilleux et, même si elle ne me l'a jamais dit, je sais qu'elle considère que sortir avec un homme marié, non seulement c'est une perte de temps, mais c'est aussi un peu la trahir.

Hugo me montre le paquet de cigarettes à moitié plein que j'ai posé il y a un moment sur la table.

— Ces cigarettes, on dirait du foin, vraiment, on ne peut pas les fumer, dis-je.

Il se met à rire.

— Lorsque tu m'as dit que tu avais l'habitude de mentir, j'ai pensé que tu t'y prenais mieux.

— Je fais ce que je peux.

— Reviens vite, sans toi on s'ennuie, ajoute-t-il.

Sofía m'accompagne jusqu'à la porte.

— Ça crève les yeux qu'il ne te plaît presque pas du tout. N'est-ce pas ? Pas du tout du tout.

9

Je descends la côte en faisant des bonds. Tu disais toujours que je marchais comme mon père, comme si quelque chose nous poussait vers le haut, comme si nous frôlions tout juste le sol, qu'avant même de distinguer nos visages tu nous reconnaissais à la façon caractéristique que nous avions d'avancer. Je me souviens encore de ton irritation le jour où, dans la dernière ligne droite de ma première grossesse, tu m'as vue marcher avec moins de grâce.

« Ne me dis pas que, à l'âge que tu as, rien que parce que tu es enceinte, tu vas cesser de marcher comme tu l'as fait toute ta vie ! »

Tu saurais, rien qu'à me regarder en ce moment, que je m'en vais retrouver un homme. Tu ne m'as jamais freinée. Tu considérais que l'amour justifiait des comportements saugrenus qu'en n'importe quelle autre circonstance tu aurais blâmés. Si un serveur se trompait dans ta commande ou te renversait de la soupe dessus et que, en allant te plaindre, tu apprenais par le maître d'hôtel qu'il était amoureux – il n'y avait qu'à toi qu'on faisait des confidences aussi vite –, tu le regardais avec sympathie et disais : « Ah, alors, dans ce cas... » Et tu poursuivais ton repas comme si de rien n'était avec la jupe trempée de soupe. Mais si quelqu'un, en ta présence, fournissait avec assurance une information qui se révélait erronée, ou arrivait en retard à une réunion, tu le regardais avec stupeur et il ne regagnait jamais plus ton respect. J'ai passé ma vie à me battre pour le mériter, je ne suis pas sûre d'y avoir réussi. Je continue à arriver en retard partout.

Sorti je ne sais d'où, je vois que s'approche de moi à grandes enjambées le bel inconnu. Il est seul, il marche un peu penché en avant, comme le font souvent les hommes grands et minces, comme s'ils se protégeaient de vents invisibles, comme si sur les sommets qu'ils habitent soufflait toujours une tempête. Je marche si rapidement et je suis si nerveuse que je perds une sandale. Je la récupère juste à temps pour voir qu'il a suivi la scène et qu'il sourit d'un air amusé. Encore une fois, adieu à la femme fatale que j'aimerais être. Je lui souris et, en nous croisant, il murmure : « Au revoir, Cendrillon. » Je pense que je pourrais peut-être m'arrêter et lui proposer d'aller boire quelque chose (et nous soûler, nous raconter nos vies avec fougue et par grands élans, nous effleurer distraitement les mains et les genoux, nous regarder dans les yeux une seconde de plus que la décence le voudrait, nous embrasser et baiser avec précipitation dans un recoin du village, comme lorsque j'étais jeune, tomber amoureux tous les deux, voyager, être toujours ensemble et dormir serrés l'un contre l'autre et avoir deux enfants de plus et, finalement, nous sauver), mais je poursuis mon chemin sans me retourner. Si les hommes savaient la quantité de fois que nous, les femmes, nous nous faisons ce type de film, ils n'oseraient même pas nous demander du feu.

Santi est assis devant la porte de l'église. Je suis si contente de le voir que c'est à peine si je m'aperçois qu'il est plus maigre que la dernière fois, qu'il paraît fatigué et s'est remis à fumer des joints. Il me regarde, ses yeux sont brillants et il a un grand sourire.

— Tu as bien bronzé.

— Je suis toujours bronzé. Comment tu vas?

— Bien.

Nous restons là quelques secondes, silencieux, à nous fixer, soudainement timides, sans savoir que dire, comme si le simple fait d'être de nouveau l'un en face de l'autre était la chose la plus extraordinaire du monde.

— Et les enfants?

— Bien. Contents d'être ici.

— Leur grand-mère leur manque?

— Je pense que oui. Ils l'adoraient, ils s'éclataient avec elle, mais ils ne disent rien. Ils sont bien élevés, très réservés.

— Comme leur mère.

— Et les tiens? Ils vont bien?

— Ils sont heureux. Tu devrais voir comment l'aîné nage, il est incroyable. Mais ces derniers temps, j'ai l'impression que je passe mes journées à les engueuler.

— Oh, c'est dommage. Quel âge a l'aîné déjà ? Dix ans ?

— Neuf.

— Ah.

— Tu es superbe.

— Merci. Toi aussi. Tu me donnes une cigarette ?

Il me frôle la main en tendant son briquet. Et par ce geste, nous sortons de la cour du lycée, nous nous défaisons du délicat épiderme d'adolescents maladroits et amoureux transis pour redevenir deux adultes fous, à la peau usée, engagés dans une longue relation illicite.

— Je n'ai pas beaucoup de temps. J'ai dit que je sortais acheter des cigarettes. Je voulais seulement te voir. Savoir comment tu vas. Mais je vais devoir vite filer.

— On n'a pas le temps d'aller boire un verre ?

— Non. J'aimerais bien pourtant. Ils ont organisé un méga-barbecue sur la plage et à un moment ou un autre ils se rendront compte que j'ai disparu.

Lui aussi fait semblant de ne pas voir la déception dans mes yeux.

— Et quand on pourra se revoir ?

— Eh bien, je ne sais pas. Un de ces jours.

— Tu es un salopard.

— Je t'ai déjà dit que tu es superbe ce soir ?

Je fume en silence. Il m'attrape par le pantalon et le tire vers le haut, l'ajustant à ma taille. Ensuite, il me fait pivoter comme si j'étais une marionnette pour regarder mon cul.

— Est-ce que je réussirai à te faire mettre un pantalon à ta taille ?

— J'en doute.

— Et des leggings ? Tu serais impressionnante.

— Bien sûr.

— Des leggings en cuir.

Nous éclatons de rire tous les deux.

— Bonne idée. Je me les achète demain.

Sans lâcher mon pantalon, il m'embrasse.

— Je ne veux pas que tu te fâches avec moi. Tu comprends ? Je ne supporte pas que tu sois fâchée contre moi. Ça me rend malade.

Je ris de nouveau.

— Bien sûr. Très, très malade.

— Rigole, rigole. Mais c'est la vérité.

— Je ne suis pas fâchée.

Mais, mentalement, j'ai déjà commencé à calculer les minutes qui restent avant qu'il s'en aille et que je me retrouve seule, que ta mort de nouveau m'assaille et que tout recommence. Tout l'amour de mes amis et de mes enfants ne suffit pas pour que je puisse résister aux violentes rafales de ton absence, j'ai besoin d'être agrippée à un homme pour ne pas être emportée dans les airs. On dit que la plupart des femmes cherchent leur père à travers les hommes, moi, c'est toi que je cherche, je le faisais même de ton vivant. N'importe quel psychiatre malhonnête s'en mettrait plein les poches, mais le mien s'entête seulement à me faire chercher du travail.

— À quoi tu penses ? Un coup tu es là, la seconde d'après, tu es autre part, loin.

— Je pensais que j'étais fatiguée.

— Fatiguée de quoi ?

— Je ne sais pas. De tout. Par la journée. Par l'été, qui est très crevant. Je crois que j'ai besoin de dormir.

— Tu te rends compte que nous n'avons jamais dormi ensemble ? En fait, si, une fois, au début. Le lendemain matin, je t'ai préparé le petit déjeuner.

— Je ne m'en souviens pas. Mais j'aimerais beaucoup dormir avec toi. Dormir-dormir, je veux dire.

— Mais il y aurait un viol de nuit.

— Sauf que ce ne serait pas un viol.

Il me dit au revoir et, comme d'habitude, on ne convient de rien pour une prochaine fois. Je reste assise un moment à l'entrée de l'église. J'entends la rumeur festive du village, en pleine ébullition estivale, et je me demande qui règne maintenant sur La Frontera, quelle bande de dingues défoncés s'en ira voir le jour se lever à Cap de Creus, et si *Should I Stay or Should I Go* est toujours la dernière chanson qu'on passe chaque nuit à El Hostal, avant la fermeture. La première couronne que nous perdons, et peut-être la seule impossible à récupérer, est celle de la jeunesse ; celle de l'enfance ne compte pas, parce que, enfants, nous sommes inconscients de l'incroyable butin d'énergie, de force, de beauté, de liberté et d'innocence qu'au terme de quelques années nous aurons amassé, et que les plus chanceux d'entre nous dilapideront sans compter.

Quand j'arrive à la maison, tout le monde est déjà allé se coucher. J'entre sans faire de bruit dans la chambre de Sofía et du petit Dani, qui dorment dans la pièce aux lits superposés. Toute résidence d'été ressemble un peu à une colonie de vacances : la grande table autour de laquelle nous nous réunissons pour le petit déjeuner au fur et à mesure de notre réveil, la joie de retrouver les amis dès les premières heures du matin, en pyjama ou en maillot de bain, les yeux chassieux, avec la gueule de bois ou l'air radieux, riant de ce que nous avons fait la veille, préparant des chocolats pour les enfants et discutant pour savoir s'il est trop tôt pour boire une bière, les tours pour la douche, les hurlements du dernier qui fait sa toilette à l'eau froide parce qu'il n'y a plus d'eau chaude, la collection de serviettes de plage, délavées et raidies par le sel de mer, séchant au soleil, les chambres avec des lits superposés pour gagner de l'espace et permettre à tous les amis possibles d'y dormir. Je m'allonge à côté de Sofía.

— Je n'ai pas sommeil, dis-je en un murmure à son oreille.

— Quoi ? Quoi ? Qu'est-ce qu'il y a ? Dani ?

Elle me file un grand coup avec la main.

— Non, non, c'est moi. Je viens d'arriver.

— Alors, comment ça a été ? dit-elle en retirant son masque de satin rose et se redressant un peu.

— Bien, bien. Le truc habituel. On est restés à bavarder un moment, ensuite il a dû s'en aller.

— Je vois.

— Et maintenant je n'ai pas sommeil.

— Bien sûr, c'est normal. Vous n'avez pas pu baiser, et ne pas baiser rend insomniaque. Mais moi j'ai mis une heure à endormir Daniel, je n'ai pas passé mon temps à rouler des pelles à un type, alors moi, oui, j'ai sommeil.

Dani se retourne dans son lit.

— Si tu le réveilles, je te tue, murmure Sofia.

— Et qu'est-ce que tu as fait de ton esprit estival ?

— Il dort, répond Sofia en remettant le masque de satin.

Je reste un moment allongée à côté d'elle, espérant qu'elle se rappelle que je suis une pauvre petite orpheline qui a besoin qu'on l'écoute, mais, au bout de quelques minutes, Dani cesse de s'agiter, et elle, elle commence à ronfler doucement.

Je vais dans ma chambre. Je me demande ce que peut bien faire le mystérieux inconnu. Peut-être la même chose que moi.

10

Les aboiements d'un chien me réveillent le lendemain matin. Je reste blottie dans le lit, je suppose qu'ils doivent provenir de la rue, je pense que c'est peut-être Rey qui est venu me chercher. Chez nous, on avait eu jusqu'à cinq chiens, les trois nôtres, celui de la dame qui nous aidait pour les tâches ménagères, un chien que tu avais d'ailleurs recueilli et sauvé toi-même, et que tu nourrissais – je me souviens que pendant un temps tu sortais dans la rue avec une laisse dans ton sac à main, au cas où tu trouverais un chien perdu –, et le chien de l'un de tes invités. Une véritable meute intouchable qui t'amusait et constituait une cour parallèle à celle de tes amis. De fait, si l'un des invités osait se plaindre ou faire une moue face aux assauts des chiens, ou, pire, osait dire qu'il en avait peur, il était immédiatement taxé de snobinard et de crétin absolu, n'était plus jamais invité, à moins que ses qualités en tant que joueur de poker lui vaillent ta grâce. Je me rappelle une dame très chic qui venait souvent jouer et à qui tu laissais une serviette de bain immaculée et parfaitement pliée sur le dossier de sa chaise pour qu'elle la pose sur ses jambes et puisse ainsi se protéger du frôlement, des coups de langue et de la douteuse hygiène de tes chiens.

J'entends la voix forte et grave de Guillem. Il vient d'arriver avec Patum. Avant d'ouvrir les rideaux, je sais, à la lumière qui filtre à travers le tissu, que c'est une journée magnifique. Aujourd'hui, j'irai au cimetière te voir. Je mets une de ces robes en soie froissées que je trouve dans le bazar de toutes mes affaires entassées en équilibre précaire sur l'unique chaise de la chambre. Les fringues, mon principal hobby, elles aussi, ont fini de m'amuser. Malgré la chaleur, je n'ai envie que d'acheter des vêtements qui me cachent ou me caressent. De toute façon, les vêtements sont toujours un substitut du sexe, ou alors un emballage pour en avoir. Peut-être bien que tout est un substitut du sexe : la nourriture, l'argent, la mer, le pouvoir, le sexe. J'écarte un peu les rideaux et laisse le soleil d'été, si jeune et insolent, si pareil à celui de mon enfance, se déverser dans la chambre.

Guillem est arrivé, chargé de l'un de ses cageots de légumes.

— Úrsula, dépêche-toi ! Planque-les avant que Blanca les balance tous à la poubelle, je la connais bien, dit-il en me voyant.

— Quel plaisir que tu sois ici ! lui dis-je en le serrant dans mes bras.

— Bien sûr. Comme ça, tu as une personne de plus à torturer, pas vrai ?

Je suis contente de le voir. Lui, jamais il ne me mettrait dans une résidence pour personnes âgées. Avant, pour juger quelqu'un et décider si je pouvais avoir confiance en lui ou pas, je me demandais si dans la France occupée il aurait été collabo, maintenant l'épreuve de vérité est s'il me mettrait ou pas dans une résidence pour personnes âgées. Ou s'il m'enverrait au bûcher pour sorcellerie. Tu disais toujours, avec cette manière particulière que tu avais de me balancer à la fois une insulte et un éloge, qu'au Moyen Âge je n'aurais pas tenu cinq minutes.

Les enfants sont à l'étage, ils prennent le petit déjeuner devant la télévision.

— À cette heure-ci, et avec le temps qu'il fait, ils sont déjà en train de regarder la télé ? s'exclame Guillem.

Úrsula, juste sortie de la douche, avec la peau et les cheveux brillants, un de ses tee-shirts hyper-moulants à thématique tropicale, rit et boit tranquillement son café. Ce qu'il y a de bien avec Úrsula, pour les gens qui n'aiment pas avoir de personnel, c'est qu'avec elle, c'est comme si on n'en avait pas. Elisa apparaît à la porte de la cuisine avec des tasses et du pain grillé, suivie de Damián ; depuis que nous sommes arrivées à Cadaqués, je ne l'ai pas vue seule à seule une minute. Elle me salue :

— Comment ça va, ma belle ?

Elle a sa longue et magnifique chevelure dénouée, elle porte une robe à bretelles blanches, elle s'est verni de rouge les ongles des orteils et a agrémenté ses sandales argentées d'un bracelet de cheville orné de clochettes. Je vois qu'on suit toujours la mode cubaine, me dis-je, amusée. Elisa aime beaucoup les fringues et, chaque fois qu'elle change de petit ami, elle change de style.

— Il y a quand même des jours où ce qui me plairait vraiment, ce serait de sortir dans la rue toute nue, m'a-t-elle confié une fois, avec la candeur des femmes belles et désinhibées, qui savent que la beauté est pareille à un vêtement, et que jamais elles ne sont réellement nues.

Damián porte un jean gris coupé à la hauteur des genoux, un vieux tee-shirt, des tennis bleu foncé avec des chaussettes de la même couleur et le magnifique bracelet en bronze et turquoise dont il ne se défait jamais. J'ai essayé plusieurs fois de le lui voler, mais il dit qu'il ne peut plus le retirer. Il m'a raconté qu'il était encore adolescent lorsqu'il l'avait mis, il n'avait pas encore quitté Cuba, et que lorsque, quelque temps plus tard, il avait tenté de l'enlever – c'était le cadeau d'une petite amie et la relation était finie –, la main ayant forci, le bracelet ne pouvait plus passer. J'ai fait la connaissance de Damián bien des années avant Elisa, par un ami commun, au cours de la présentation d'une anthologie de jeunes poètes cubains. Il est d'humeur paisible, discret, aimable, affectueux et fêtard, il aime les femmes, l'alcool, les drogues, mais je ne l'ai jamais entendu faire étalage de l'un ou de l'autre de ses plaisirs. Je crois que c'est un type bien, même si ça, on ne le sait jamais vraiment avant d'avoir un service à lui demander, avant le moment où on lui demande de prendre parti, ce qui arrive toujours, mais lui, il regarde dans les yeux, il se comporte de manière égale avec tout le monde et je ne l'ai jamais entendu critiquer quelqu'un. Il aime rire plus que parler, et lorsqu'il parle c'est pour exposer une de ses théories politico-sociales fumeuses que personne ne comprend jamais complètement. Ça ne m'étonnerait pas qu'il fasse partie de ces gens qui croient que les images des premiers pas des hommes sur la Lune ont été tournées en studio. Il est grand et mince, mais en même temps les contours de sa silhouette ont quelque chose de mou et de rebondi, ses traits sont alanguis comme des collines, il n'y a rien d'anguleux en lui, comme chez les hommes qui me plaisent, rien de maladif ni de tordu, ni de défait, aucune tourmente cachée que l'on pourrait soupçonner, le ciel que l'on doit atteindre à ses côtés ne dépasse pas le plafond, celui de la chambre à coucher probablement. Elisa, bien sûr, le voit comme un dieu de l'Olympe, un dangereux prédateur, un don Juan qui, d'après elle, a eu des liaisons avec la moitié de la population féminine de la ville. Lorsque vous tombez amoureuse – même si elle s'obstine à dire qu'elle ne l'est pas, que c'est juste un amant, un autre signe qu'elle l'est, justement –, rien de ce que vous pensez de la personne aimée ne coïncide avec la réalité, en particulier ce qui a à voir avec son attrait physique. Ce serait bien de s'en souvenir pour la fois prochaine, sauf que l'amour remet tous les compteurs à zéro et, avec un peu de chance, l'homme suivant sera encore une fois le plus beau, sexy, intelligent, amusant et étonnant du monde, même s'il est bossu et à moitié idiot.

À cet instant, Sofia arrive du village, traînant Dani derrière elle, une bouteille de champagne à la main. Elle porte un extravagant chapeau de paille avec un ruban noir qui a l'air d'un cornet de glace à l'envers dont on aurait coupé la pointe, d'énormes lunettes de soleil et une robe noire nouée au cou qui fait ressortir la grâce de ses épaules et de ses clavicules.

— Regardez ce que j'ai trouvé au village !

Elle pose son regard sur Guillem quelques secondes, dans ses yeux je vois défiler, à toute vitesse, surprise, curiosité, intérêt et plaisir.

— Du champagne, c'est ça ? dit-il en la regardant d'un air moqueur. Une bouteille de whisky aurait mieux fait l'affaire. Le champagne, c'est pour les petites idiotes B.C.B.G. Pas vrai, Úrsulita ?

Úrsula éclate de rire.

— Je ne sais pas, monsieur Guillem, je ne bois pas.

— D'accord, d'accord, répond-il. Dans cette maison, il faut marquer le niveau des bouteilles avec un Bic avant d'aller se coucher, parce que, sinon, on sait bien comment on va retrouver les bouteilles le lendemain.

— Je l'ai acheté parce que j'ai un chagrin terrible. Je viens d'apprendre que mon gynéco est mort.

— Ça alors, dis-je. Je suis désolée. Quel putain de coup dur.

Elle s'assoit à table quelques instants, l'air abattu et pensif. Je ne savais pas qu'elle éprouvait autant d'affection pour son gynéco. Je me demande si elle ne va pas me voler mon deuil.

— Vous vous rendez compte? s'exclame-t-elle soudain en redressant la tête. C'est le premier homme à avoir mis ses mains dans ma chatte qui meurt.

Je respire, soulagée.

— Eh oui, c'est qu'on vieillit, commente philosophiquement Elisa.

— Moi, je me trouve fantastique, dit Sofía. Mieux que jamais.

— Allez, Posh, passe-moi la bouteille, je vais la mettre dans le congélo, dit Guillem. On voit bien que tu n'en peux plus de chagrin.

— Comment il m'a appelée? demande Sofía, les yeux écarquillés.

— Posh, tu sais, la fille B.C.B.G. des Spice Girls, dis-je.

Sofía se met à rire.

— Comme c'est bizarre! Mais je n'ai rien de B.C.B.G...

— C'est ton chapeau qui est bizarre, dit Guillem. Bon. Qui veut faire du bateau? Les enfants, les enfants! Vous êtes prêts? On largue les amarres dans vingt minutes. Posh, va enfiler un maillot de bain.

Il n'y avait rien au monde que tu aimais autant que faire un tour en bateau. Lorsque j'aurai le courage d'ouvrir de nouveau les albums de photos dont tu m'as fait cadeau pour mon dernier anniversaire, quelques mois avant ta mort – je t'avais dit en de nombreuses occasions que je ne voulais aucun des précieux livres, statuettes, tableaux que tu possédais, que je désirais seulement la série des albums de photos de la famille, que mon grand-père avait commencée et que tu avais poursuivie, et tu es arrivée à la maison en traînant avec beaucoup de peine, aidée par une auxiliaire de vie, une énorme valise couleur lilas bourrée d'albums, le legs témoignant de manière indiscutable que nous avions été heureuses –, je chercherai l'une de tes photos à la barre du *Tururut*, tu souris, les cheveux pleins de vent et de sel, et je la placerai sur l'étagère des photos, à côté de celle de papa. Je ne le fais pas parce que tu n'es pas encore un souvenir, je suppose que le temps, si cruel, si bienveillant, se chargera de ça.

Guillem a enfilé une vieille casquette de marin qu'il a trouvée dans le garage et commande la petite troupe qui s'achemine vers le quai par les rues empierrées sous le regard imperturbable de l'église qui resplendit sous le soleil ; autour d'elle, les maisons, comme une armée de soldats obéissants, forment une masse compacte et harmonieuse, que seul rompt, ici et là, le fuchsia étincelant des bougainvillées et le vert passé d'un arbre. Derrière le village, s'élèvent des montagnes autrefois couvertes d'oliviers, qui isolent la localité du reste de la région et, pendant des siècles, l'ont pratiquement transformée en une île. La mer, soumise ou furieuse, triste ou euphorique, bruyante ou murmurante, éclaboussée de barques ou déserte et fatiguée, semble rendre hommage à un lieu que ni le temps ni les hordes de touristes n'ont réussi à avilir.

Les enfants avec leurs gilets de sauvetage orange, de la même couleur que les bouées qui flottent éparpillées sur la mer, attendent, obéissants, sur le quai, à côté de Guillem et de Patum, que le batelier arrive et nous emmène jusqu'à notre bouée d'amarrage. Hugo et Pep parlent à voix basse, Carolina essaie d'empêcher que la petite Nina se jette à l'eau, tandis que nous allons acheter quelques bières.

Guillem sympathise immédiatement avec le batelier, qui lui donne son numéro de téléphone pour que nous l'appelions dès que nous voudrons revenir.

— Posh, rappelle-moi de lui acheter une bouteille de rhum lorsqu'on descendra au village ce soir.

La mer est lisse comme un miroir et brille comme si toutes les étoiles de la nuit précédente y avaient sombré. Je plonge la main dans l'eau et laisse la vitesse l'entraîner, je sens le courant entre mes doigts, trois colonnes écumeuses qui laissent une trace aussitôt disparue, je vois qu'au fond de la mer s'agitent de minuscules poissons gris comme des spectres, la plage, l'arc-en-ciel humain, les rires, les cris et les barbotages s'éloignent très vite. Guillem nous fait monter à bord de manière disciplinée, et indique à chacun où s'asseoir. Immédiatement après, aidé par Edgar, il sort la barre et le safran, se plante au milieu du bateau, enfonce bien sa casquette de capitaine sur sa tête et commence à t'imiter.

— Bon, les enfants, que personne ne bouge de sa place, un bateau est quelque chose de très dangereux. Edgar, Edgar, mets le safran en place. Attention, fais attention, tu vas passer par-dessus bord. Où est l'ancre ? Ah, dans l'eau ! Bon, voyons si elle n'est pas enraguée. Quelqu'un prêt à plonger si l'ancre est accrochée. Non, heureusement. Les clés ! Où sont les clés ? Qui était chargé des clés ? Mon sac à main ! Où est mon sac à main ? Où est-ce qu'il est ? Les lunettes ! les lunettes ! Que personne ne bouge !

C'est une imitation si juste que nous éclatons tous de rire.

Puis il porte l'index à la bouche, le lève au ciel, fronce les sourcils en fixant l'horizon et se transforme en Paco, un de tes vieux amis.

— Voyons, aujourd'hui, c'est le garbin qui souffle. Oui, oui. La situation est compliquée et peut même devenir critique. Ce serait plus prudent de rester près du port, de faire trempette et de retourner à la maison.

— Mais la mer est complètement plate et il n'y a pas un souffle de vent, proteste Nico.

— Écoute, mon garçon, ça fait des années et des années que je bourlingue. Je sais ce que je dis. Si vous pensez ne pas suivre mes conseils, je descends tout de suite. Vous vous débrouillerez. Lorsque vous arriverez à Majorque entraînés par le courant, rappelez-vous mes paroles. Lorsque j'étais jeune...

L'embarcation glisse doucement à la surface de la mer, le crachotement de vieux fumeur enroué du moteur empêche les conversations et pendant un moment les regards se perdent dans le lointain, les mots sont superflus ; la beauté contraint souvent les gens à se taire, à se recueillir, c'est ce qu'il y a de meilleur en elle, je sens la petite main grassouillette et tiède de Nico dans la mienne. Les enfants, guidés par Guillem, prennent à tour de rôle la barre. Edgar s'est assis à califourchon à la proue de l'embarcation, comme je le faisais moi, enfant, et Sofia boit de la bière les yeux fermés. Patum, couchée à mes pieds, sommeille. Pep, obligé par déformation professionnelle de garder les yeux ouverts pendant que les autres les ferment, nous prend en photo. Carolina tient sur ses genoux Nina que le tangage du bateau a assoupie et Hugo prend le soleil. Nous décidons de jeter l'ancre dans une petite crique où il n'y a que deux autres embarcations dont les occupants nous saluent courtoisement. L'eau est si transparente qu'on a l'impression de pouvoir toucher les rochers pointus et menaçants avec les pieds, alors qu'en réalité ils se trouvent à plus de vingt mètres de profondeur.

Dès que le ronron monotone du moteur s'arrête, nous nous éveillons tous en même temps de nos rêveries comme si un hypnotiseur avait fait claquer ses doigts. Patum, nageuse experte, comme tous les chiens de sa race, se met à aboyer et à sauter de tous côtés, très excitée. Edgar est le premier à se jeter à l'eau, la chienne saute après lui et manque lui tomber sur la tête. Les enfants se préparent à descendre par la petite échelle tandis que Guillem, avec l'aide de Hugo, s'assure que le bateau est bien ancré. Ce dernier, une fois la tâche pratiquement exécutée, laisse Guillem finir et va s'allonger.

— Je viens de me rendre compte d'un truc, s'exclame Sofía, soudain. J'ai oublié mon maillot de bain.

Elle nous regarde avec un air de petite fille espiègle.

Les deux hommes font semblant tant bien que mal de ne pas l'avoir entendue. Guillem continue à s'occuper des derniers détails. Hugo lève un sourcil derrière ses lunettes de soleil et sourit de manière imperceptible, mais ne bouge pas, allongé à plat ventre. Guillem la regarde du coin de l'œil et continue à tirer sur la chaîne de l'ancre, peut-être avec des gestes un peu plus brusques qu'il y a une minute. Pep, l'œil toujours collé à son viseur, détourne pudiquement l'objectif vers la mer. Nico, qui a mis son maillot au saut du lit, me dit à l'oreille :

— Elle est bête, Sofía. Comment elle a pu oublier son maillot de bain?

— Donc : tu as mis une demi-heure à te changer, on a dû t'attendre serrés comme des sardines en boîte dans la bagnole en crevant de chaleur et tu as oublié d'enfiler ton maillot de bain, dis-je en la regardant d'un air amusé.

— Oui, c'est vrai. Qu'est-ce que je suis distraite !

— Bien sûr.

— Eh bien, baigne-toi à poil, dit Carolina, de toute façon, c'est ce qu'il y a de plus agréable.

Sofía, avec la même élégance, le même naturel qu'elle met à se défaire en hiver de ses étoles en fourrure lorsqu'elle arrive dans un lieu public – mêmes élégance et naturel avec lesquels elle s'endort sur un canapé ou au beau milieu d'une pelouse quand l'abus d'alcool lui ferme les yeux et qu'elle m'a déjà répété mille fois combien elle m'aime –, Sofía laisse glisser sur ses épaules la longue tunique délavée, aux rayures roses et grises, qui lui arrive aux chevilles, et, d'un bond, plonge tête la première dans l'eau. Le corps, comme un éclair couleur caramel, s'enfonce avec la grâce et la précision d'une nageuse professionnelle, silencieusement, sans éclaboussures.

— L'intérieur, sans doute il n'y a eu que ce pauvre gynéco, et quelques autres malheureux de plus, à le connaître... mais pour ce qui est de l'extérieur, on l'aura tous vu..., soupire Carolina.

Je me cale sur l'échelle et commence à descendre très lentement, l'eau gelée me secoue, me hérisse, me rend furieuse, tétanise tous mes muscles et, finalement, lorsque je cède et lâche les garde-corps, que je laisse la mer glacée comme une lame de couteau m'envelopper, yeux fermés, cheveux de méduse dansant au-dessus de ma tête sous la surface, corps enfin sans gravité, l'élément liquide m'accueille, me bénit et me dissout. Je me demande s'il sera mon dernier amant.

11

Je suis la première à me doucher et je monte à la cuisine avec l'idée de me servir un verre de vin blanc très frais puis d'aller me prélasser dans le hamac sur la terrasse, jusqu'à ce que le déjeuner soit prêt. À ce moment-là Elisa arrive, les sourcils froncés.

— Je viens de me rendre compte qu'il n'y a pas assez à manger, dit-elle.

— Ça alors, c'est dommage. Bon, il y a des biscuits, non ?

— Très drôle.

— Je ne plaisante pas.

Je comprends que ma demi-heure de repos, mon vin blanc et ma place privilégiée dans le hamac sont en danger. J'ajoute :

— Il fait un soleil infernal et je suis crevée. Tu ne voudrais quand même pas que, moi, j'aille faire les courses.

Je ferme les yeux et me balance un peu plus fort.

— Justement si.

Pendant un instant elle garde le silence, attendant que j'ouvre les yeux mais moi, qui suis une paresseuse, je les garde fermés, et elle, qui est une obstinée, ne bronche pas.

— Blanquita, j'ai passé la moitié de la matinée à nettoyer et à cuisiner, sors-toi de là tout de suite et va acheter des saucisses à la boucherie, finit-elle par dire sur un ton sérieux, en arrêtant le balancement du hamac.

Je proteste faiblement, je la menace de m'évanouir sur le chemin, de me cogner la tête sur une pierre et de mourir vidée de mon sang par sa faute, mais elle ne s'apitoie pas.

— D'aaaaccord. Je vais y aller. Mais je ne comprends pas cette manie bourgeoise de déjeuner et de dîner. Vous êtes une bande d'enfants gâtés et capricieux.

La mer, comme un aimant géant, a vidé les rues du village et entraîné la plus grande partie de ses habitants jusqu'au rivage. Quelques rares rescapés dérivent dans les venelles assoupies, cherchant l'ombre des maisons anéanties de soleil. Il faut aussi avoir un certain âge pour commencer à éprouver de l'affection pour les lieux où nous sommes nés ou avons passé notre enfance, pour ne pas les parcourir avec les yeux fermés de la familiarité et ne pas vouloir fuir à l'aventure chaque matin. J'aime Barcelone parce que ma vie se sera écoulée là-bas – dans cet hôpital est né Edgar, et dans ce bar son père et moi nous embrassions en cachette, ici je prenais un goûter tous les mercredis avec mon grand-père, et ici tu es morte –, mais je crois que j'aimerais Cadaqués même si je ne l'avais visité qu'une seule fois en allant autre part, même si j'étais venue de l'autre côté du monde et que rien, ni culture, ni langue, ni souvenirs, ne m'avait liée à ce cul-de-sac escarpé et farouche aux crépuscules de soie rose, fouetté par un vent noir qui en hiver déteint sur la mer et où tout vous pousse vers les nuages et le ciel. J'entre dans la boucherie et je reçois avec soulagement une bonne claque d'air climatisé. Je n'avais jamais remarqué à quel point les boucheries ressemblent aux hôpitaux, me dis-je avec un frisson en regardant les murs et le sol en grès blanc, la rangée de chaises vides où s'assoient les dames qui attendent leur tour, les couteaux pareils à des instruments de chirurgie prêts à dépecer, les tubes de néon au plafond, avec leur lumière glacée et si peu flatteuse. J'espère ne pas tomber sur un de mes anciens petits amis parce que je dois être affreuse à voir, je serai une terrible déception, une fois de plus. C'est alors que je remarque une femme de dos, devant le comptoir réfrigéré rempli de chapelets de saucisses, de montagnes de viande et de piles d'abats frais, tendres et succulents : la femme de Santi. Nous ne nous connaissons pas, mais j'ai vu une photo d'elle avec ses enfants chez Santi et elle aussi sait sans doute à quoi je ressemble. Je ressens un mélange d'excitation et de panique, et une certaine répugnance, même si je suis consciente que la seule qui ait droit d'éprouver de la répugnance, c'est elle. Elle est plus jeune que moi, son corps est vigoureux et agréable, elle a le cou bref et épais, un buste large et volumineux sur des jambes fines, le visage rond et bronzé, les yeux noisette, très grands et un peu vides. Ses cheveux sont ramassés en une queue-de-cheval et elle porte une longue et ondoyante tunique bleu turquoise avec un collier de pierres assorti. Malgré sa petite taille et son aspect si concret et banal, elle parle avec l'affabilité supérieure et condescendante de certaines personnes riches, à voix très haute et sans regarder le boucher. Je me sens vraiment mal à l'aise et de plus en plus minuscule, comme si sa voix habituée à donner des ordres et à commander et son impatience contenue étaient dirigées contre moi. Elle se retourne brusquement. Son regard aux paupières lourdes glisse sur moi sans me voir. Il ne montre aucune surprise, aucune indignation, aucune curiosité, il n'a pas ce léger tressaillement que provoque la rencontre d'un autre être vivant, cette femme ne me voit simplement pas. Elle prend ses sacs de course et prononce un au revoir à peine audible. Je respire soulagée et surprise – moi qui ne peux entrer nulle part sans chercher à appréhender immédiatement êtres et choses, tout ce qui m'entoure – et tout de suite je me mets à me faire des films sur ce qui aurait pu arriver, et dont, dans le fond, je me réjouis tellement que ça n'ait pas eu lieu, il n'y a pas eu d'épouse humiliée, méprisante ou furieuse, ni de maîtresse cruelle, pathétique, ou digne sur fond de saucisses et de charcuteries catalanes. Je pense avec une certaine tristesse à Santi, qui a choisi de dormir aux côtés de cette femme, attirante et autoritaire, jusqu'à la fin de sa vie.

Je ressors de la boucherie chargée de saucisses et entre au bar *Casino* pour acheter des cigarettes et boire une *caña*. Assis à l'une des tables du fond, à côté du comptoir, dans la pénombre, où les vieux du village ont l'habitude de s'asseoir pour jouer aux cartes, je vois alors le mystérieux inconnu. Je pense, pendant quelques instants, avec naïveté, que c'est toi qui l'as placé là, comme une sorte de signal. Tu t'inquiétais que je ne sois pas tombée amoureuse pour de bon depuis si longtemps, que j'aie transformé en un jeu ce qui te semblait si important, et que je le joue avec des compétiteurs qui, d'après toi – et en cela tu étais une mère typique –, n'étaient pas à ma hauteur et n'avaient pas mon habileté. Tu me disais : « Ma petite, ce qui est normal à ton âge, c'est d'être amoureuse. Je ne sais pas à quoi tu passes ton temps. » Longtemps, la seule histoire d'amour qui m'a importé a été mon histoire d'amour avec toi.

Je m'assois à la table voisine. Il me sourit franchement, comme si nous nous connaissions.

— Tu n'as pas perdu de chaussure aujourd'hui ? me demande-t-il en se penchant en avant et en jetant un coup d'œil à mes pieds.

Nous nous mettons à rire tous les deux. Il a un regard réfléchi, implacable, sensible et un peu triste, qu'il détourne seulement, de temps à autre, par timidité. La bouche, grande, avec des lèvres faites pour embrasser, masculines, mais suffisamment tendres pour y planter les dents, grimace un peu quand il rit, enlaidissant et infantilisant sa puissante tête de héros grec. Les sourcils, épais, plus sombres que ses cheveux vieil or, courts et drus, que l'hiver doit assombrir, et qui couronnent, comme un petit nuage, le front légèrement bombé. Le menton, proéminent, protégé par une barbe de trois jours qui chez lui doit en mettre seulement deux à pousser. Les yeux en amande, d'un gris foncé et orageux, grands, très écartés, comme s'ils voulaient envahir les tempes et ne rien perdre de ce qui se passe autour de lui. La voix, grave, profonde, mais sans affectation, ne dément ni ne contredit son physique.

— Pas pour le moment, dis-je. C'est que les sandales, des fois, quand on marche vite, peuvent se barrer parce que le pied n'est pas bien tenu. Tu comprends ?

J'explique en gesticulant et en agitant le pied pour qu'il voie comment la chaussure bouge. Et comme est fine et délicate ma cheville, aussi.

— Je vois. Moi, je mets des espadrilles. En été, je veux dire. La mode ne m'intéresse pas trop.

— Non, non, moi non plus.

Ça y est, je raconte des mensonges. Dans un instant, je serai en train de lui dire que le foot me passionne et que je ne lis que de la poésie.

— Tu ne vas pas à la plage ?

— On en revient. J'ai la peau très fragile, je ne peux pas rester au soleil à cette heure-ci, en fait, à n'importe quelle heure. D'après mon dermatologue, ma peau est une aberration dans ce pays.

— Oui. Qu'est-ce que tu as comme taches de rousseur. On dirait des milliers d'îles sur un océan.

— Quand j'étais petite, je les détestais, personne n'avait autant de taches de rousseur que moi à l'école, j'étais la fille bizarre. Ensuite, je me suis habituée.

Et je pense : lorsque les hommes comme toi ont commencé à me dire que ça leur plaisait beaucoup.

— Moi, ça me plaît.

Je souris avec gratitude. J'ai été chanceuse, jamais je n'ai méprisé ni considéré comme acquis l'amour des hommes, je sais jusqu'à quel point ma vie en dépend.

— Est-ce qu'une fois on te les a comptées ?

— Non...

— J'imagine bien. On a perdu le fil en cours de route avant de finir, pas vrai ?

Nous rions tous les deux.

— Plus ou moins.

— Moi, je suis très doué pour les nombres.

Il ne me regarde plus, il fronce les sourcils comme si, soudain, il devait consacrer toute son attention à un sujet important et compliqué.

— Je n'en doute pas. Je peux te poser une question ?

— Oui, bien sûr.

— Qu'est-ce que tu faisais à l'enterrement de ma mère ? C'était toi, n'est-ce pas ?

— Oui, c'était moi.

— Tu la connaissais ?

— Non. Mon père, lui, la connaissait.

— Ne me dis pas que nous sommes frère et sœur.

Il se met à rire de nouveau.

— Non, non.

— Ouf, heureusement !

— Quand il était jeune, mon père a tenu pendant quelques années un petit bar où on jouait de la musique, un bouge plutôt. Ta mère avait l'habitude de le fréquenter. À partir d'une certaine heure, mon père prenait sa guitare et se mettait à chanter. Ça plaisait beaucoup à ta mère. Elle demandait toujours la même chanson.

Il parle comme s'il racontait un conte, il était une fois, il y a des années et des années, comme s'il avait un coffret empli de perles merveilleuses et, pour quelque mystérieuse raison, il avait décidé de me les offrir toutes. Je tends mes mains glacées et approche ma chaise de la sienne.

— Quelle chanson c'était ?

— Je ne m'en souviens plus, j'imagine que c'était une chanson argentine. Bien sûr, mon père était impressionné par cette femme, cultivée et réservée, timide et aimable, qui descendait des beaux quartiers de la ville et était touchée par ses chansons.

— Je ne connaissais pas cette histoire.

— Tu ne devais pas encore être née. Un jour, après le spectacle, mon père lui a dit en passant qu'il avait des problèmes d'argent. Ils n'étaient pas amis, ils bavardaient comme le font, parfois, les habitués d'un bar. Ta mère a proposé qu'il vienne la voir le lendemain, à son bureau. Quand il est arrivé, elle lui a demandé de quelle somme il avait besoin, elle a ouvert un tiroir et la lui a donnée. Sans demander quand il la rendrait, ni à quoi elle était destinée, en se connaissant à peine, sans lui demander de garanties, ni rien d'autre. Elle a ouvert le tiroir et lui a donné l'argent. Mon père l'a remboursée jusqu'à la dernière *peseta*, mais il n'a jamais oublié ce geste.

— Qu'est-ce qui s'est passé ensuite? Ils se sont revus? Où est ton père?

— Il ne s'est rien passé. L'argent a dû servir à rembourser des dettes, je suppose, mon père était nul en affaires. Le bar a fini par fermer, et il est reparti en Argentine. Il est mort il y a quelques années. Je suis né ici, ma mère est catalane. Lorsque j'ai appris que la tienne était morte et qu'on allait l'enterrer à Cadaqués, j'ai décidé d'aller lui présenter mes respects, de la remercier de la part de mon père.

— Et pourquoi tu n'es pas venu me saluer?

— J'ai trouvé que ce n'était pas le moment. Tu étais entourée de beaucoup de gens.

— Tu aurais sauvé ma journée.

Il se met à rire, son regard de nouveau perdu dans le lointain.

— Tu crois ?

— Peut-être pas. J'imagine que ce jour-là ne pouvait plus être sauvé. Et la jeune femme qui t'accompagnait ?

— Une amie. C'est à quoi servent les amis, non ? Pour se soûler la gueule, assister aux enterrements, ce genre de choses.

Mon téléphone se met à sonner, c'est Óscar, il est arrivé à la maison. On m'attend pour commencer à manger.

— Je dois y aller. Mon ex-mari numéro 2 vient d'arriver.

Il prend un air effrayé pour me regarder.

— Il y a combien d'ex-maris ?

Je ris.

— Non, non, il n'y en a que deux. Une quantité normale, pour une personne de mon âge avec de la curiosité.

— Je vois. À bientôt.

Je sors à toute vitesse du bar, tout en jouant avec les perles rosées, douces et tièdes qui remplissent mes poches.

12

La grande table en bois rougeâtre avec son pied métallique couleur lapis-lazuli que mon oncle a conçue il y a plus de quarante ans occupe toute la salle à manger. Pensée à une époque où il n'y avait pas d'enfants et où l'on déjeunait et dînait souvent dehors, une petite fenêtre en bois communique avec la minuscule cuisine et facilite le passage des assiettes sans que l'on ait à se lever. L'emplacement stratégique des fenêtres et des portes permet à l'air de circuler et à une lumière diaphane, sans ombres, de baigner toute la pièce. Óscar et Guillem ont une relation de respect et de sympathie, chacun d'eux traite l'enfant de l'autre avec un amour très proche de l'amour paternel. Comment nous en sommes arrivés là, je ne le sais pas très bien, étant donné ce que nous sommes, allergiques tous les trois à la promiscuité gratuite et à la tolérance mollassonne d'une grande partie de notre génération. Óscar plaisante avec Edgar de sa moustache naissante, Guillem noue une serviette autour du cou de Nico pour qu'il ne se tache pas. Sofía flirte avec Guillem et celui-ci ne fait que la contredire et se moquer de tout ce qu'elle dit, ce qui est, aussi, une vieille technique de séduction. Elisa et Damián, immergés dans la tourmente de leur monde d'amants amoureux, se murmurent des secrets. Elle lui roule ses cigarettes. Ses mains s'activent rapides et concentrées, les gestes sont précis et féminins, presque maternels, la tête est penchée comme si elle cousait, le soyeux rideau de cheveux voile son visage. Quand elle a fini, elle les pose délicatement, comme une offrande, devant l'assiette. Brusquement, il me semble que je suis en train d'assister, sans le vouloir, à un acte de soumission volontaire, quelque chose de légèrement érotique et impudique qui ne devrait avoir lieu que dans un lit et en privé, un acte beaucoup plus intime que se baigner à poil, une sorte de servitude. Tu m'as élevée si férocement et efficacement dans le rejet de n'importe quel type de soumission non ludique, que je n'ai même pas eu à devenir féministe.

Guillem a acheté quatre kilos de moules que nous dévorons comme s'il y avait encore en nous des désirs de mer ; nous buvons du vin blanc bien frais comme si c'était de l'eau. Elisa – qui, plus d'une fois, s'attardant dans la cuisine pour préparer un plat, n'a pas eu sa part de viande, de salade ou de gâteau – désapprouve sans mot dire notre façon vorace et égoïste de manger que le temps passé en mer, en plein air, aiguise. Moi, je suis heureuse de voir mes fils, ces princes urbains, transformés en petits barbares à la peau salée et dorée. De temps à autre, lorsqu'il regarde ailleurs, je donne un coup de langue sur la joue, rebondie, rosée et saupoudrée de taches de rousseur, de Nico, qui fait semblant de s'indigner et, mort de rire, me le rend. Au meilleur de notre forme, nous sommes une troupe de lions. Sofía explique à Óscar pour la énième fois qu'elle est la gérante d'une importante entreprise commerciale.

— Tu crois que cette foldingue peut avoir un boulot comme ça ? me dit-il à voix basse. Ce n'est pas une de ses inventions pour se rendre intéressante ?

Et la majestueuse tête de taureau à la bouche profonde et symétrique, mâchoire carrée et front large et pensif, part d'un rire enfantin et voyou, le rire de nombreux hommes. Il rit comme nos enfants, et comme Guillem, dont les mains usées, déterminées et un peu émouvantes, ne sont pas très différentes des siennes. Dans ses doux yeux sombres se fondent les yeux plus abattus et fiévreux de Santi, et ceux, plus clairs et tristes, du mystérieux inconnu de tout à l'heure, comme en un kaléidoscope magique capable de convoquer à la fois des fragments du passé, du présent et du futur.

Nous savons, sans besoin d'en parler, que cette nuit nous dormirons ensemble. Dès que nous nous voyons, même s'il s'agit seulement d'aller dîner ou à la pharmacie, nous nous transformons en un couple, comme si la somme des deux parties ne pouvait donner que cela, comme si nous étions la formule parfaite et exacte de quelque chose, de quoi, nous n'avons pas réussi, et peut-être que nous ne réussirons jamais, à savoir de quoi.

— Pourquoi on ne se remettrait pas ensemble ?

Le soleil se faufile à travers les rideaux rose pâle et baigne toute la chambre d'une lumière dorée et tiède aux scintillements roux. Je flotte dans le bonheur idiot et irresponsable des réveils qui succèdent aux nuits où l'on s'est beaucoup embrassés et un peu mordus.

Óscar ouvre un œil et se met à rire. Je me souviens de l'une des premières fois où nous avons dormi ensemble, il était parti travailler tôt et il m'avait envoyé un message un peu plus tard dans la matinée : « J'aime ouvrir les yeux et te voir à mon côté. » Nous avions plongé tête la première dans ce tourbillon qui métamorphose en dieux invincibles les mortels, qui leur fait croire pendant un temps qu'ils ne sont pas seuls. Et moi, qui pensais que la fin de l'histoire avec Guillem avait signifié l'exil définitif de ce territoire, je l'avais de nouveau habité, avec la même certitude et la même euphorie, le même aveuglement, et la même gratitude que la première fois. L'une des choses les plus surprenantes de l'amour est sa miraculeuse capacité de régénération. Je n'ai pas remis les pieds sur cette île dont nous tous ignorons les coordonnées secrètes jusqu'à ce qu'un jour, en ouvrant les yeux, comme par magie, nous soyons de nouveau là-bas.

— Viens ici.

— Non, sérieusement.

Le sexe matinal me fait perdre toute l'énergie accumulée pendant le sommeil et me transforme en une demoiselle convalescente et exsangue, comme désossée, pour le reste de la journée. Et aujourd'hui je vais aller te voir au cimetière.

— Viens, viens. Regarde.

Il soulève le drap et, avec un large sourire, il me montre son corps réveillé.

Mais je ne veux pas replonger dans cette mer, j'ai besoin de toucher terre, j'ai besoin d'oliviers rugueux et tordus, de pierres brûlantes, de nuages anémiques et hauts dans le ciel.

— Óscar, sérieusement, je veux qu'on vive ensemble.

J'insiste, sur un ton pas très différent de celui que j'utilisais enfant pour persuader ma nourrice de m'acheter une glace ou de me laisser voir un film pour les grands, un mélange félin de prière et d'ordre.

— Blanquita, rien ne me ferait plus plaisir, tu le sais, mais au bout de deux jours tu m'enverrais chier une fois de plus.

— Non, non, dis-je, et j'agite ma tête avec véhémence, essayant de balayer avec mes cheveux couleur paille tous nos doutes. Je ne baise avec personne comme avec toi.

Je ne comprends toujours pas comment ce que mon corps affirme, chaque fois, d'une manière irréfutable, que je suis faite pour ce type, est obstinément nié par la vie, avec une véhémence tout aussi indiscutable.

— Ce n'est pas suffisant. C'est pas mal – il me regarde une seconde avec un sourire de loup –, mais ce n'est pas suffisant. Tu le sais bien.

Soudain, il semble las comme un acteur qui aurait passé des années à interpréter le même rôle face à une partenaire beaucoup plus jeune et sans expérience.

— Mais c'est beaucoup, dis-je, me rappelant avec un petit frisson la sensation de stupéfaction et de plénitude de la nuit précédente. Que nous continuions à nous attirer de cette manière après tant d'années, c'est beaucoup.

— Oui, c'est incroyable.

Il sourit, il cède. Il cède bien sûr aux louanges, comme tout le monde, et aussi à la lumière d'or qui baigne la chambre, à mes épaules rondes et douces, à son propre corps vigoureux et désordonné comme celui d'un adolescent, auquel il est incapable de refuser quoi que ce soit de sensuel qui ne soit pas mauvais pour sa santé. Il ajoute :

— Moi, dès que je te vois, je pense : « Baiser, baiser, baiser. »

— Et nous nous aimons.

— Oui, nous nous aimons beaucoup.

Il garde le silence quelques instants.

— Mais nous ne nous supportons pas. Tu ne me supportes pas. Et tu me fais sortir de mes gonds, personne n'a autant réussi à me faire péter les plombs.

Je me mets à rire, même si cela fait des années que je ne considère plus la capacité à rendre fou furieux l'autre comme quelque chose de spécialement méritoire, mais plutôt comme l'un des échelons les plus bas de la passion.

— Tu te souviens de cette fois où on roulait à moto et où tu étais si furieux, je ne me souviens pas pourquoi, que tu m'avais fait descendre et que tu m'avais plantée au beau milieu de la rue ?

— Et que tu m'avais balancé le casque à la tête, et que tu avais presque provoqué un accident ?

— Marions-nous.

Je le dis avec cette frivolité, cette légèreté dont j'use d'habitude pour parler des choses importantes et graves. Je ne peux parler avec sérieux et des heures durant que de niaiseries, les affaires importantes, l'amour, la mort, l'argent, je les expédie en une phrase, avec un haussement de sourcils et un éclat de rire nerveux, par pudeur, je suppose, mais aussi par indolence et faiblesse de caractère. Óscar le sait bien, et puis il est trop malin pour répondre sérieusement à une proposition que, pour des raisons différentes, par amour, par jalousie, par peur, nous nous sommes faite, tantôt l'un, tantôt l'autre, au fil des années.

Il rit.

— Tu es dingue. Et où on vivrait ? Chez toi, il n'y a pas de place pour moi.

— Ah...

Je pense à la mansarde toute de bois et de lumière où je vis avec les enfants comme à une petite tanière confortable, accrochée parmi les arbres, qui sent la groseille et la rose, les biscuits Maria, que l'odeur de bois, de poivre et de mousse d'un homme perturberait.

— Je ne peux pas quitter ma mansarde, elle me plaît beaucoup.

Nous gardons le silence pendant quelques instants.

— Tu vois ? Tu es incapable de faire le moindre sacrifice pour qui que ce soit.

— Ce n'est pas vrai.

Je proteste faiblement.

— Incapable de renoncer à cette vie désordonnée et enfantine que tu mènes, au désir d'être toujours différente des autres, de faire toujours le contraire.

— Ce n'est pas vrai. Si, toi, tu n'étais pas aussi rigide et intransigeant ! J'ai vu la tête que tu as faite hier quand les enfants ont mangé leur troisième crêpe au chocolat.

— C'est que c'est une aberration. Trois crêpes au chocolat, ce n'est pas un dîner. Et puis, je ne vois pas pourquoi il faudrait dîner tous les jours dehors. C'est gaspiller pour gaspiller.

Je me rappelle les discussions sans fin sur la nécessité, d'acheter ou de ne pas acheter une autre paire de chaussures de sport à Nico, sur ma tendance au gaspillage – avec mon propre argent, jamais avec le sien –, à propos des enfants qui ne peuvent pas se lever de table tant qu'ils n'ont pas tout mangé, qui ne peuvent pas regarder la télé plus d'une heure par jour, qui ne peuvent pas dormir dans le lit des parents, qui ont déjà bien assez de jouets comme ça. Et la dame qui fait le ménage qui ne vole pas mais qui est une fainéante, qu'il payait toujours avec quelques jours de retard, comme pour lui faire remarquer que nous n'étions pas tout à fait satisfaits de son rendement. Et le restaurant plein de charme c'est vrai, mais nous aurions pu manger la même chose à la maison. Et le jour où il avait neigé à Barcelone et où nous avions dû traverser la ville d'un bout à l'autre pour aller récupérer nos enfants, ces heures que j'avais vécues comme une aventure magique – l'héroïne d'un conte de fées avec ses bottes trempées luttant contre les éléments pour aller sauver ses rejetons, qui n'avaient pas pu revenir à la maison avec la nounou parce le métro avait cessé de fonctionner et qu'il n'y avait pas un seul taxi, au milieu de ce chaos cotonneux et festif, les phares des voitures comme des illuminations de Noël, éclairant les petits flocons glacés qui se prenaient à mes cils et se collaient à mes lèvres – et lui comme une insupportable corvée. Les armatures de la vie d'Óscar toutes faites de raison et de réalisme, toutes absolument nécessaires, qui sont pour moi autant de barreaux de prison. Et ma houle incessante, qui est synonyme d'insignifiance, d'excès de confiance, de laisser-aller, pour lui.

— Bon, alors soyons au moins amants.
— Non, je veux tout ou rien.
— Discutons-en.
— On en a parlé mille fois, Blanquita. Tu ne veux pas d'une relation.
Sa voix est basse et lasse.
— Ou du moins pas avec moi, ajoute-t-il sur le ton neutre que nous prenons pour lancer une affirmation à double tranchant, qui détruit l'autre et nous détruit en même temps. Et puis, ajoute-t-il, de toute façon, il faut que je reparte, j'ai beaucoup de boulot à Barcelone.
Je sais que ce n'est pas vrai, parce que nous sommes vendredi, parce que c'est l'été et que, ces derniers temps, il passe toujours les fins de semaine avec sa petite amie.
— Tu vas retrouver ton espèce de pute, n'est-ce pas ?
Je ne veux pas me laisser envahir par la tristesse, après tout, la tristesse est un sentiment délicat, nuancé, profond, au long cours, et je préfère me laisser emporter par la colère.
— Ce n'est pas une pute. Elle est très sympathique, dit-il.
Je saute hors du lit avec un grognement.
— Sympathique, en voilà une qualité intéressante, dis-je dans un murmure, et je claque la porte derrière moi, sourde aux supplications qu'il prononce sur un ton badin.
Óscar est gai le reste de la matinée, envoyant et recevant des messages. Il s'en va après le déjeuner.

— Je serai toujours là, me dit-il en prenant congé, jamais tu ne me perdras.

— Sérieusement ?

— Bien sûr. Personne ne t'aimera comme je t'aime moi, affirme-t-il d'un air grave.

— Enfin, peut-être bien que quelqu'un d'autre pourrait, non ?

Il ajoute, faisant semblant de ne pas avoir entendu :

— De toute façon, la vie est pleine d'imprévus, on ne sait jamais quel numéro va sortir.

— C'est vrai.

Mais notre vie a peut-être joué toutes les parties et la roulette s'est arrêtée pour la dernière fois, de nouveau, sur un numéro perdant. Et nous sommes absolument ruinés. J'aimerais pouvoir reconstruire le monde, ou une ébauche de monde, avec les pièces que j'ai, reconstituer le puzzle et que quelque chose soit de nouveau comme avant, j'aimerais ne jamais plus avoir à m'aventurer dehors, mais je suppose que trop de pièces manquent désormais.

Il essaie de m'embrasser sur les lèvres, mais je détourne le visage.

Dès qu'il a fermé la porte, Guillem s'exclame, content d'être de nouveau le seul homme adulte (Damián, étant un simple visiteur, sans aucune relation sentimentale avec moi, ne compte pas) :

— Heureusement qu'il est parti, ce type est vraiment rigide, je ne comprends pas ce que tu lui trouves.

J'essaie de rire.

— Tu as raison, c'est vrai, l'autre jour, il ne voulait pas que les enfants dînent de trois crêpes.

Je leur donne une somme exagérée pour aller s'acheter des pancakes à la confiture de lait chez l'Argentin à côté de l'église. Je me dis que rien n'a trop d'importance, qu'en effet la vie est pleine d'imprévus. Mais j'ai la sensation d'avoir avalé un morceau de verre.

13

Épuisés par une autre journée passée en mer, les enfants sont allés se coucher tôt. La terrasse est pratiquement plongée dans l'obscurité, et du village monte le brouhaha joyeux et chaleureux des nuits d'été. L'église, majestueuse, illuminée comme un décor de théâtre, semble prendre sa revanche sur le premier rôle que joue la mer pendant le jour – à présent, docile, pareille à une mare sombre et taciturne, elle se contente de refléter la lueur blanche de la lune et celle, plus jaune, des lampadaires du village – et abriter, sous ses ailes blanchies à la chaux, les maisons qui tourbillonnent autour d'elle. Damián et moi, comme deux enfants malades avalant le sirop que leur tend leur mère, fumons les joints que l'industrieuse Elisa nous prépare. Je les vois qui chuchotent à l'autre extrémité de la terrasse, elle, de nouveau recroquevillée vers l'avant, lui parle sans le regarder, et lui l'écoute en fixant l'horizon, le sourire aux lèvres. Guillem et Sofia boivent et, lui, le verre à la main – je ne l'ai jamais vu fumer de joints, pas plus qu'Óscar – essaie de la persuader de l'aider à arracher les mauvaises herbes qui ont envahi le jardin à l'arrière du bâtiment. Des amis de Damián sont venus, que j'ai croisés en diverses occasions au cours de dîners et d'événements mondains. Je les observe à travers la lucidité mesquine et cruelle qu'octroient l'alcool, les joints, l'indifférence et les idées noires que je broie à propos d'Óscar et de Santi, avec qui j'ai rendez-vous demain. Les hommes, très sympathiques et un peu guindés, se servent de la culture et d'un savant sens de l'humour comme protection contre le monde et comme manœuvre de diversion vis-à-vis d'un physique rebutant et peu avantageux – ce qui ne les empêche cependant pas de juger crûment et impitoyablement la beauté féminine –, font preuve d'une certaine galanterie maniérée et condescendante, comme substitut d'une bonne éducation, et ont une manière de s'habiller avec soin, petite-bourgeoise, comme si c'était encore leur mère qui choisissait et repassait leurs vêtements. Leurs armes sont l'intelligence, l'esprit et un œil infaillible pour détecter les faiblesses d'autrui. Tous deux écrivent. Les femmes sont belles et raffinées, intelligentes, prudentes et réservées. Elles parlent peu, avec douceur et une affabilité circonspecte, tout en jetant en douce des coups d'œil autour d'elles. Ils ont apporté une guitare. Juanito, le plus petit, le plus drôle et le plus opaque, se met à jouer et à chanter, les femmes l'accompagnent. Ils égrènent avec grâce et enthousiasme des chansons d'amour sud-américaines. Je pense que l'une de ces chansons est peut-être celle qui te plaisait tant lorsque tu te rendais il y a bien longtemps au petit bar de ce monsieur. Sofia – qui s'est mise à chanter à tue-tête au premier accord de la première *ranchera* qu'elle connaissait – et Guillem se mettent à danser. Pedro, l'autre ami de Damián, s'approche de moi, aussi prévenant et affectueux que d'habitude. Il me parle de son dernier séjour à New York, des enfants qu'il a eus de différentes femmes, dispersés un peu partout sur la planète, l'un ici et l'autre à Amsterdam, de l'argent qu'ils lui coûtent. Nous avons déjeuné ensemble quelquefois, et c'est, ostensiblement – peut-être un poil trop ostensiblement –, toujours lui qui a payé.

— Comment est-ce que tu vas?

— Mal. Je suis fatiguée. Ma mère me manque.

Je pense que j'aurais peut-être dû lui mentir. Lui dire que tout était sous contrôle. La vérité est une porte que j'ouvre de moins en moins souvent, je m'abrite, invisible, derrière la muraille élevée et infranchissable du mensonge, de la politesse et du sourire rapide, mais aujourd'hui je n'ai ni la force ni l'envie de dresser ce mur. J'ajoute :

— J'ai parfois la sensation d'avoir tout perdu.

J'attends qu'il me réponde avec l'habituel silence de circonstance qui enveloppe la mort. Je tire sur le joint. Je regarde Damián de l'autre côté de la terrasse, on dirait mon reflet, il fume lui aussi impassiblement, ses yeux rouges et brillants se contemplent longuement dans les miens, comme dans un miroir obscurci par la fumée, comme si nous essayions de nous reconnaître. Je lui souris, ce doit être un bon compagnon de bringue, enthousiaste et vaillant, je suppose qu'Elisa, en plus de lui servir de mère et de coucher avec lui, le protège de lui-même.

— Mais voyons, Blanca, tu sais parfaitement que ce n'est pas vrai, m'interrompt Pedro, coupant ce lien où se mêle défonce et somnolence qui, de manière imprévue, m'a uni à Damián. Tu n'as pas l'air d'une personne abattue, poursuit-il avec une certaine brusquerie, écarquillant ses yeux de petit singe futé, comme s'il venait de se rendre compte soudain qu'il parlait avec quelqu'un de plus bête qu'il ne le pensait.

— Je veux dire que presque toutes les personnes que j'ai le plus aimées sont mortes et que beaucoup de lieux de mon enfance et de ma jeunesse sont désormais perdus.

— Mais ces personnes et ces lieux, tu les as bien observés lorsqu'ils étaient à toi, non ?

Il continue à me parler sur ce ton légèrement irrité de professeur s'adressant à un élève subitement décevant. Je me rends compte que nous sommes tous les deux complètement défoncés.

— Bien sûr. Je pourrais te décrire chaque recoin de la maison de ma mère. Je connais et je me souviens de toutes les couleurs, de l'auburn au grenat au noir, que prenaient, au fur et à mesure du passage des heures et du déclin du soleil, les bibliothèques en acajou où elle rangeait ses livres. Je sais la température exacte de pain chaud sorti du four que les mains de mon père avaient et je pourrais te dessiner tout de suite le petit verre de vin rouge à moitié plein qu'il avait toujours dans la cuisine. Tu veux que je te le dessine ? Je peux te le dessiner tout de suite. Va chercher un crayon et du papier et je te le dessine.

— Ma chérie, continue-t-il sans bouger de mon côté, c'est l'observation, pas seulement l'amour, qui nous rend maîtres des choses, des villes que nous avons visitées, des histoires que nous avons vécues, des gens, de tout. Tout ce que tu as connu et vécu sans indifférence, avec attention, tout cela est à toi. Tu peux tout convoquer quand tu en as envie.

Sa longue figure de majordome du capitaine Haddock se plisse en une grimace hideuse. Je suis tentée de la défroisser doucement avec le bout des doigts, mais je me contente de lui passer le joint.

— Non, mon vieux, non.

Je me rends compte que je ne l'avais jamais auparavant appelé « mon vieux ».

— Je crois qu'il y a des choses que nous avons perdues pour toujours. En fait, je crois que nous sommes davantage les choses que nous avons perdues que celles que nous avons.

Je lève les yeux en direction de ta chambre plongée dans l'obscurité ; devant la porte, Patum, depuis son arrivée, monte la garde. Finalement, aujourd'hui non plus, je ne suis pas allée te voir au cimetière.

Peu à peu se tisse un lien ténu entre nous, les défoncés, une délicate toile d'araignée qui exclut, sans le vouloir, ceux qui sont restés lucides. Je souris, au beau milieu du brouillard, à Damián, qui a l'air de se trouver très loin. Je plisse les yeux pour mieux le voir. Le regard interrogateur et foudroyant d'Elisa, qui boit très peu, ne fume que des cigarettes, est féroce avec tout le monde sauf avec ses amants, glisse sur moi, comme je ne sais quoi de légèrement huileux, de désagréable, et je poursuis la conversation muette, absurde, que j'entretiens avec les yeux de plus en plus troubles de son amant. Je lui fais signe de s'approcher de nous, saisie par la crainte qu'il finisse par se dissoudre dans le brouillard et disparaisse pour toujours. Il s'assoit à côté de moi et se met à bavarder avec Pedro. Pendant quelques instants, j'ai l'impression que tout est parfait, que rien n'est perdu et que Pedro a raison. La musique se mêle aux voix de mes amis et à la rumeur de la mer, pareille à une berceuse familière et protectrice. J'appuie ma tête sur l'épaule de Damián, je ferme les yeux.

Je me réveille avec une gueule de bois monumentale. Il doit être tard, je n'entends pas les enfants, qui sont sans doute déjà partis à la plage, et par la fenêtre pénètre une lumière insolente et implacable qui, même les yeux fermés, continue à me transpercer les paupières et les tempes. J'enfile ma robe de chambre de Dame aux camélias et je monte lentement, précautionneusement, les marches, en essayant de bouger le moins possible pour que mes pas ne résonnent pas sous mon crâne. Je prépare une infusion et me mets à feuilleter un vieux journal. C'est ce que je suis encore en train de faire lorsque Elisa arrive.

— Salut !

Je suis contente de la voir ; depuis qu'elle sort avec Damián on ne s'est presque pas parlé.

— Quelle bonne soirée nous avons passée hier ! N'est-ce pas ? Vos amis sont sympas et ça a été une super bonne idée d'apporter la guitare. On devrait les réinviter.

Elle me regarde sans rien dire, très sérieuse. Elle a les traits tirés, ses yeux sont cernés, mais ce ne sont pas les bons cernes du plaisir et des baisers, plutôt ceux de l'insomnie et de l'inquiétude.

— Elisa, qu'est-ce qui se passe ?

— Tu sais très bien ce qui se passe.

— Non, je ne sais rien du tout. J'ai un mal de tête à crever, alors je ne suis pas prête à jouer aux devinettes. Tu peux me le dire, s'il te plaît ?

Je commence à ressentir une certaine appréhension, une vague inquiétude, en rapport avec le brouillard de la nuit précédente.

— Il se passe qu'hier j'ai vu quelque chose qui m'a inquiétée et beaucoup attristée.

Elle se tait, son regard a la même expression, dure et grave, qu'hier soir, ça me revient maintenant.

— Qu'est-ce que tu as vu ?

— Je t'ai vue dire bonne nuit à Damián.

Je me mets à rire, sur le coup je crois qu'elle est en train de se foutre de moi.

— Oui, il m'a embrassée sur la bouche, comme il le fait toujours.

Je pense que ce n'est pas la première fois qu'à la fin d'une soirée je dis au revoir à un ami avec un fugace baiser sur les lèvres, et ce ne sera pas non plus la dernière. Hier, c'est lui qui a pris l'initiative et un instant j'ai pensé me dérober, mais je me suis dit, amusée, que c'était un effronté (et, en ces temps de lâcheté, les personnes hardies méritent une récompense), et j'ai vu, comme un éclair, à notre côté, le regard sombre d'Elisa, mais tout est arrivé très vite et, quand j'ai eu fini de penser, l'effleurement de ses lèvres sur les miennes avait lui aussi pris fin.

— Ah ! C'est lui qui l'a fait... Heureusement !

— Et ensuite c'est Pedro qui m'a embrassée.

— Blanca, ma chérie, je ne suis pas en train de parler de Pedro. Je sais qu'il y a un tas de gens qui t'embrassent.

Je me mets à rire de nouveau, je ne peux pas croire que nous avons ce genre de conversation, qui ne nous ressemble pas, pas plus qu'à notre amitié.

— Elisa, vraiment, ça t'a traversé l'esprit que je puisse séduire ton mec ? Tu es tombée sur la tête ?

— Oui, c'est possible que je sois complètement folle, mais je sais ce que j'ai vu et, bien sûr, j'ai pu mal voir.

— Elisa, il ne m'a pas embrassée, on s'est juste effleuré les lèvres. On était très défoncés. On est des amis. Bon, je te promets qu'il ne sera plus question de baisers de n'importe quel genre.

— Blanca, ma chérie, ça fait des jours et des jours que je vois comment tu te pends à son bras.

J'éclate de rire.

— C'est vrai, ajoute-t-elle à voix basse.

— J'aime bien Damián, un point c'est tout. Mais, d'accord, j'arrêterai aussi les manifestations physiques d'affection. Elisa !

Je me lève et la prends par les épaules, comme si je voulais la réveiller d'un cauchemar.

— Tu crois sérieusement que je serais capable d'avoir une histoire avec Damián ? C'est totalement absurde !

— Ah, bien sûr ! s'exclame-t-elle plus indignée encore. Sans doute qu'avoir une histoire avec Damián est complètement nul et qu'il n'y a que moi d'assez conne pour en avoir une.

— Non, ce n'est pas ça. Je n'aurais jamais d'histoire avec le mec d'une amie. Tu devrais le savoir. Avec la quantité d'hommes qu'il y a dans le monde.

Je commence à me rendre compte qu'elle se fiche complètement de ce que je peux lui dire.

— Mais, en revanche, tu pourrais bien te coller à lui et lui dire au revoir en l'embrassant sur la bouche.

— Je t'assure que se coller à un homme, c'est autre chose. Elisa, on est amis, rien de plus.

— Blanca, entre vous, ce n'est pas de l'amitié, c'est du flirt.

— L'amitié, c'est toujours du flirt.

— Ah, alors dans ce cas, en avant ! dit-elle en faisant un grand geste de la main, comme si elle donnait l'ordre d'avancer à une armée.

— Elisa, sérieusement, Damián ne me plaît pas, je l'aime bien, c'est tout. Et c'est un baiser qui m'a à peine effleuré les lèvres.

Je me rends compte que je vais avoir mal à la tête toute la journée.

— De toute façon, s'embrasser sur la bouche, ce n'est pas un truc si intime que ça, je le fais avec mes enfants, avec mes amis, avec mes amie-s...

— Tu sais une chose, ma chère Blanca ? Cette idée enfantine que tu as d'un nouveau type de société, que notre génération est prétendument en train de construire sans que personne ne s'en rende compte, où tout le monde s'entendra bien, où on embrassera qui on voudra, quand on en aura envie, où on aura des relations amoureuses et cessera de les avoir comme on entre et on sort de sa maison, et des enfants à droite et à gauche, cette idée ne fonctionne que si tu considères les autres comme de la merde.

— Je ne considère pas les autres comme de la merde.

— Tu considères tout le monde comme de la merde. Sauf tes enfants, et peut-être ta mère. Et tu sais quoi ? J'en ai marre de te psychanalyser. Ta mère est morte, elle était âgée et très malade, pendant les derniers mois elle a beaucoup souffert et t'a fait beaucoup chier, mais elle a eu une vie merveilleuse, elle a aimé et été aimée, elle a réussi, elle a eu des amis, des enfants, elle s'est amusée et, d'après ce que tu dis, elle a toujours fait ce qui lui plaisait. Et tu l'aimais, et tu es triste et un peu paumée, mais ça ne te donne pas le droit de foutre en l'air la vie de tout le monde.

— Je n'ai jamais voulu foutre en l'air la vie de qui que ce soit. Tu sais quel est ton problème, Elisa ?

Et sans lui donner le temps de répondre, je reprends :

— C'est que tu es lâche, c'est pour ça que tu as toujours refusé de prendre des drogues, pour ça que tu ne veux pas avoir d'enfants, pour ça que tu as besoin d'un mec à tes côtés. Par peur. Tu vis dans une petite cage, reconnais-le.

Je suis sûre que d'un moment à l'autre ma tempe gauche va exploser, qu'une partie de ma cervelle va jaillir et que ça mettra fin à notre discussion.

— Dit la gamine B.C.B.G. qui vit de ses rentes, qui n'a jamais mis les pieds dans un hôpital public, et qui proteste lorsqu'on a rendez-vous dans les « bas quartiers », où, d'ailleurs, moi, j'habite. Ne t'illusionne pas, celle qui vit dans une cage et dans un monde de fantaisie inventé de toutes pièces, qui n'a pas grand-chose à voir avec la réalité, c'est toi.

— Je ne vis pas de mes rentes.

— Je me casse. C'est impossible de discuter avec quelqu'un qui ne fait qu'essayer tout le temps de dire des choses amusantes. Damián m'attend sur le parking.

Elle est en train de traverser le jardin quand je me mets à lui hurler :

— Et tu sais quoi? Mes baisers sont à moi. Je n'ai de compte à rendre à personne à leur propos, je les distribue comme j'en ai envie, je les partage avec qui je veux. Comme l'argent. Sauf que les baisers, tout le monde en a, il y en a beaucoup plus, ils sont beaucoup plus démocratiques, beaucoup plus dangereux aussi, ils nous mettent tous au même niveau. Et si toi tu faisais la même chose, si tout le monde faisait la même chose, le monde serait un peu plus chaotique, mais beaucoup plus drôle...

— Au revoir, Blanca.

Elle fait demi-tour et s'en va. J'entends quelqu'un siffler, je lève la tête et vois Guillem penché à une fenêtre. Il me regarde bouche bée, il porte son index sur la tempe et le fait pivoter pour dire « Vous êtes dingues ». Je claque la porte et j'éclate en sanglots.

14

Guillem va chercher tout le monde à la plage pour une promenade en bateau jusqu'au phare et moi je passe le reste de la matinée seule à la maison avec Patum, à me traîner comme une âme en peine, avec un sachet de glace pilée que je presse contre le front pour essayer d'anesthésier ma migraine. Patum sait que tu n'es plus là, elle ne rentre pas dans ta chambre, elle reste à la porte, t'attendant et flairant chaque recoin de la maison à la recherche d'une odeur ou d'un signe qui indiquerait que tu vas revenir. Moi aussi. J'ai pensé à refaire certains voyages que nous avons faits ensemble, à Athènes, à Venise, à New York. Peut-être que là-bas je te rencontrerais. Guillem m'a dit hier que le vétérinaire l'avait prévenu que Patum ne vivrait pas longtemps, qu'il doutait qu'elle tienne jusqu'à l'hiver. C'est la dernière d'une magnifique portée qui avait vu le jour chez nous et dont tu avais réparti les chiots auprès de tes amis de l'époque. Je me souviens de mon angoisse et de ton enthousiasme en voyant Nana déposer de petits paquets de chair palpitante et visqueuse dans toute la maison. Sur les neuf chiots qui étaient nés, je crois, un était mort quelques heures plus tard mais les autres avaient survécu. Tu avais fait faire une grande caisse en bois que tu avais placée à côté de ton lit et tu avais passé des semaines à les observer et à t'en occuper, absolument indifférente à l'odeur de chenil qui avait envahi ta chambre raffinée avec sa moquette framboise, ses miroirs, ses commodes en acajou, ses tableaux de femmes voluptueuses, t'assurant que les plus gloutons laissent manger les plus faibles et les plus maigrichons et que Nana, la mère, puisse se reposer. Il n'était pas difficile de savoir quelle petite fille tu avais été ; cette petite fille, aussi, je l'ai aimée.

Patum me regarde l'air triste, elle m'aime d'un amour irrationnel et démesuré, peut-être le seul type d'amour qui vaille la peine, celui que nous ne méritons pas, mais à présent, c'est le chien de Guillem, peut-être Patum l'a-t-elle toujours été, après tout, c'est lui qui lui a donné son nom, et les choses, je ne sais pas si c'est vrai pour les êtres, appartiennent à qui sait les nommer. J'ai peur de sa mort, j'ai peur que ce côté-ci du monde ne devienne un désert, il y a des jours où je sens le souffle de mes morts sur la nuque, comme une force silencieuse et orgueilleuse qui me pousse de l'avant, mais il y en a d'autres où, devant et derrière, ce ne sont que des précipices. Je pense à Rey, avec son vieux pelage blanc que le temps a assombri, lui aussi est resté sans maîtresse.

J'attends le retour de l'excursion en bateau des enfants, heureux et exténués, Edgar de plus en plus bronzé, et Nico avec de plus en plus de taches de rousseur, je ne peux éviter de rire comme la méchante sorcière des contes de fées en pensant aux cœurs qu'ils vont briser et à ceux qui briseront les leurs, aux tragédies sentimentales qui nous attendent, tous deux si doués – naïfs, sensibles, passionnés, pudiques –, si prédestinés, même s'ils l'ignorent encore, pour ce jeu. Au moment du repas, je leur demande de m'excuser et je m'en vais dans ma chambre, espérant que le sommeil et l'obscurité totale soulageront mon mal de tête. Je les entends s'asseoir dans un brouhaha de rires et de cris, Sofía vient me demander si j'ai besoin de quelque chose et me mettre de l'eau de Cologne citronnée sur le front. Un peu plus tard, Guillem descend.

— Comment se porte la Dame aux camélias ? dit-il en s'asseyant à côté de moi sur le lit. Tu as faim ?

Il est encore en maillot de bain, un caleçon rayé jaune et bleu ciel qui lui arrive à mi-cuisse, et porte un tee-shirt avec le logo de son lycée. Il est vraiment très bronzé et a l'air content.

— Non, non, merci.

— Je ne sais pas pourquoi tu fumes cette merde.

— Tu as raison. Tu peux me donner la main et me tenir compagnie un petit moment ?

Il me prend la main en grognant. Guillem est peu enclin aux démonstrations verbales d'affection et aux gestes de tendresse, à tout l'attirail avec lequel, la plupart d'entre nous, nous habillons notre amour. Cependant je suis aveuglément certaine qu'il fera ce qu'il faut, qu'il fera ce qu'il convient, qu'il fera preuve de compassion en n'importe quelle circonstance grave. Le reste du temps, il le passe à se moquer de lui-même et des autres, à boire et à essayer que ses élèves retiennent quelque chose en histoire. Je ne le savais pas quand je l'ai connu, et pas davantage quand nous nous sommes séparés, mais je le sais maintenant, alors qu'il est encore temps.

— Ta copine Sofía est dingue, dit-il sur un ton léger, mais il y a une certaine insistance dans sa manière de me fixer.

— Oui, c'est un sacré personnage.

— Elle t'aime beaucoup. Hier, elle a passé des heures à parler de toi.

— Moi aussi, je l'aime beaucoup, c'est quelqu'un de bien. Elle te plaît, pas vrai ?

— Elle n'est pas mal, mais si tu ne veux pas..., dit-il, laissant la phrase en suspens.

Je souris en pensant que je suis sur un de mes lits de mort et que mon ex-mari me demande la permission de sortir avec ma meilleure amie. Moi aussi, je lui demanderai certainement sa bénédiction si je tombe amoureuse de nouveau, après tout, lui et Óscar sont ce que j'ai de plus ressemblant à un père.

— Vas-y, lui dis-je en lui pressant la main. Mais si elle te fait du mal, je la tuerai.

Il sourit.

— Espérons que cela ne sera pas nécessaire, dit-il, considérant l'affaire entendue. Bon, je vais remonter, si je ne suis pas là, les enfants ne mangent pas.

Il sort de la chambre sans faire de bruit.

Je pose le sachet de glace pilée sur mon œil droit et je me dis qu'heureusement la jalousie a une date de péremption. L'amour, non, du moins dans mon cas. J'aime toujours les êtres que j'ai aimés un jour, je ne peux éviter de voir, par-delà toutes les désertions et la plupart des déloyautés, les miennes et celles d'autrui, la personne originelle et transparente, celle d'avant que tout se transforme en cendres. Avec une certaine héroïcité stupide, je ne renie aucune de mes amours, ni aucune de mes blessures. Ce serait comme me renier moi-même. Je sais qu'il n'en est pas de même pour tout le monde, la chape de la honte est épaisse et résistante, et beaucoup de gens arborent leurs haines et leurs ressentiments comme des décorations, des épées brandies, avec le même orgueil et la même ténacité que leurs inclinations. Il y a si longtemps que Guillem et moi nous nous sommes séparés ! Je l'aime, mais je l'ai libéré de mon amour. On peut se libérer tout seul, bien sûr, mais c'est toujours plus facile si l'autre a la générosité de vous donner un bon coup de pied, renoncer à l'amour de quelqu'un est difficile ; le pauvre Óscar, en revanche, traîne toujours mes chaînes – et moi les siennes – comme le fantôme de Canterville, bruyamment, péniblement.

Je sombre jusqu'en début de soirée. Lorsque j'émerge, je trouve un message de Damián me présentant ses excuses pour m'avoir fourrée dans « ce merdier » et un autre de Santi me proposant de nous retrouver deux ou trois heures dans un hôtel. J'efface le message de Damián sans y répondre et conviens d'un rendez-vous avec Santi plus tard dans la soirée.

Avant de sortir, je vois, dans le hamac de la terrasse, Guillem et Sofía, tout entremêlés, tandis qu'Úrsula fait la vaisselle à grand bruit. Edgar est dans sa chambre en train de jouer sur l'ordinateur et les plus jeunes dorment depuis un bon moment. Je traverse le jardin accompagnée par le chant des grillons. Un petit lézard prend peur au bruit de mes pas et disparaît en un éclair, frénétique, entre les pierres encore tièdes. Le village fourmille de gens, des familles satisfaites, des jeunes pleins d'espoir, des enfants morts de sommeil, des boutiques ouvertes et des terrasses de bars noires de monde face à une mer muette d'argent terne. Un groupe de musiciens joue des airs de fête sur la place et essaie d'encourager, sans trop de succès, les estivants à danser, seuls quelques pères de famille, retranchés derrière leurs minuscules rejetons, esquissent quelques timides pas au rythme de la musique. En passant devant *El Casino*, j'aperçois le mystérieux inconnu assis à une table près de la porte, en train de boire une bière avec ses amis, je reconnais la jeune femme de l'enterrement qui me regarde en souriant. Il m'aperçoit, se lève et s'approche de moi.

— Salut. Comment ça va ?

Je remarque que son nez pèle, que son gros orteil pointe à travers un trou de son espadrille crasseuse. Il me regarde avec attention et un certain détachement, mais je sais que les journées au soleil, la lueur des réverbères qu'on vient d'allumer, les heures passées à dormir et la perspective de rejoindre mon amant jouent en ma faveur, donnent des couleurs à mon visage et font briller mes yeux. Je me tiens encore plus droite et je sors une cigarette. Lui aussi déploie son plumage, plonge ses mains dans les poches et me barre le chemin comme si de rien n'était. Pour la première fois je pense, avec un mélange d'indifférence et d'appréhension, qu'il est peut-être plus jeune que moi, mais je n'ai jamais eu conscience que ma jeunesse ait été une arme de séduction – d'ailleurs il ne m'est pas arrivé non plus de penser que cette jeunesse prendrait fin un jour –, alors, pour le moment, j'observe sans enthousiasme, mais sans trop de désespoir, le début de mon déclin physique, que suivra, probablement, le déclin mental.

— Bien.

— Tu veux boire quelque chose ?

— Ce serait avec plaisir, mais je suis un peu pressée.

— Ah, c'est vrai, tant d'hommes autour de toi.

Je pense à Santi qui doit déjà m'attendre et que, depuis que nous avons rendez-vous, j'ai moins envie de revoir qu'avant. Je pense aussi aux autres hommes, des cache-misère qui dissimulent une profonde réticence à essayer de nouveau de construire quelque chose qui, de toute façon, finira en ruine. Et pourtant, chaque jour j'ignore moins le côté malsain de la solitude, et avec quelle facilité, à certaines heures, elle dévale la pente lisse et glissante du désespoir.

— Bon, ce sera pour une prochaine fois, dit-il en s'écartant.

Il m'embrasse et je sens sa joue blonde, râpeuse, tiède, pleine de promesses, contre la mienne.

— Non, en réalité, j'ai encore un peu de temps, dis-je en jetant un coup d'œil sur ma montre et en feignant de faire une estimation. Au fait, tu t'appelles comment ?

— Martí.

— Enchantée, moi c'est Blanca.

Je lui tends la main d'un geste automatique, un peu absurde et cérémonieux puisque je sais déjà, à sa façon de me regarder droit dans les yeux et au contact avec sa joue, que sa main serrera la mienne avec fermeté et que sa paume sera sèche et tiède.

Nous rejoignons son groupe d'amis, un garçon et deux filles, qui m'accueillent aimablement, avec l'affable curiosité ironique typique de la région de l'Empordà. Les filles discutent de mecs, elles sont célibataires, aucune d'entre elles n'a d'engagement qui se compte en nombre d'années ou d'enfants, et bâillonne la bouche ou libère la langue – je n'ai jamais entendu personne parler de manière si crue et cruelle des hommes que les femmes heureuses dans leur mariage. Les hommes, eux, les écoutent l'air amusé et sarcastique, mais sans répondre par aucun des clichés irritants, pour la plupart faux et ennuyeux au possible, qu'ils nous attribuent parfois et que nous nous attribuons nous-mêmes.

— Et toi, qu'est-ce que tu cherches chez un type ? me demande, d'un coup, celle que je n'avais jamais vue, longue chevelure châtain, yeux foncés et regard affamé, avec la familiarité que fait souvent naître, presque immédiatement, ce genre de conversations chez les femmes.

Je réfléchis quelques instants, sans savoir s'il faut que je réponde en plaisantant ou sérieusement, délicieusement consciente de la présence attentionnée de Martí, beaucoup plus grand que moi, assis bien droit à mon côté.

— Moi, les types qui me plaisent sont ceux qui me donnent envie d'être plus intelligente.

J'ajoute à voix basse :

— En temps normal, ils me donnent envie d'être plus bête.

— Eh bien, ma petite chérie, s'exclame la fille en riant. Tu es bien exigeante.

Il s'ensuit une longue conversation, à laquelle Martí et moi participons à peine, sur ce que les hommes et les femmes recherchent les uns chez les autres. De manière naturelle, sans le vouloir consciemment ni lui ni moi, nous nous tenons à l'écart du groupe. Je me rends compte que je suis nerveuse, je n'ai pas encore été capable de prononcer son prénom, et le verre, qu'il y a quelques instants encore, entourée de ses amis et de leurs rires, je tenais fermement, tremble un peu désormais entre mes doigts. Et puis aussi, soudain, de manière douloureuse et évidente, je prends conscience de l'attente inutile et cruelle de Santi à l'hôtel.

— Maintenant, vraiment, il faut que j'y aille. Il est tard.

Et, comme pour repousser le moment où il me dira au revoir de nouveau et où je devrai m'en aller pour de bon, j'ajoute :

— C'est quand, ton anniversaire ?

Il me jette un regard perplexe.

— Ne me dis pas que tu crois à l'horoscope.

— Non. Pas tellement. Je voulais juste le savoir pour te faire cadeau d'une paire d'espadrilles neuves.

Il regarde ses pieds et agite le gros orteil qui émerge par le trou de la toile.

— Mais c'est que ces espadrilles sont parfaites, dit-il en rougissant légèrement. Elles sont bien aérées.

— Fais voir, laisse-moi les essayer.

Tout à coup, je suis de nouveau sur ce terrain du jeu où je me sens si à l'aise et sûre de moi, et que je considère comme beaucoup moins insignifiant que la plupart des gens ; quelques-unes de mes certitudes les plus fulgurantes me sont venues pendant que je jouais. Avec une certaine hésitation, il retire son espadrille et la pose devant moi. Je plonge mon pied dans l'immense chaussure, presque aussi grande qu'un petit canot de sauvetage et je sens la semelle de corde, sèche et dure, et la toile bleu marine, raide, délavée, avec des veines blanches dessinées par le sel, qui me gratte un peu le dessus du pied.

— Elle me va parfaitement, dis-je en regardant l'ongle rouge de mon gros orteil, aussi incongru qu'un nez de clown sur un visage tout propre. Je crois que je vais la garder.

— C'est comme ça que finit le conte de Cendrillon, non ? En trouvant chaussure à son pied, dit Martí qui m'observe avec un sourire tranquille.

— C'est vrai ! Je n'y avais pas pensé !

Je retire avec précaution mon pied de l'espadrille et je la lui rends.

— Je dois y aller. À bientôt, Martí.

Je l'embrasse sur la commissure des lèvres et m'échappe avant que mes habits de princesse se transforment en haillons et que, moi, je me métamorphose en citrouille.

Je n'ai jamais été auparavant dans un hôtel de Cadaqués et, si la vue depuis le balcon a beau m'être très familière, je me retrouve cependant sur ce territoire toujours un peu inquiétant et étranger des hôtels où on ne va pas pour dormir, où, bien qu'on soit accompagné, on est toujours seul, pareil à un soldat prêt à livrer combat, où on se voit accorder un bref, profond et provisoire repos du guerrier.

— Je suis en retard, désolée, dis-je pour m'excuser.

— Pas de problème, mais je n'ai plus beaucoup de temps.

Je vois par la fenêtre que la nuit est tombée pour de bon, il doit être pas loin de minuit. Il me sourit avec sa tête triste, avec ses yeux brillants d'enfant perdu et toxico. Il n'est pas fâché, quoi que je fasse, et quoi que je dise, Santi ne se fâche jamais avec moi, je crois qu'il pense que mes insolences, mes sautes d'humeur sont le tribut à payer pour l'inégalité de notre relation, il ne se rend pas compte que ce qui n'est pas donné ne peut être perdu et que, si un jour notre relation prend fin, des deux, c'est moi qui perdrais le moins.

Il me déshabille méthodiquement, avec une sorte de maladresse lente et admirative ; ses yeux sont rouges et sa bouche a un goût de buvard, il a dû fumer un joint pendant qu'il m'attendait. Je me laisse faire, sensible et attentive, guettant le moment où je perdrai l'équilibre et où la chaleur de mon ventre se propagera comme une explosion à travers tout mon corps. Il jouit en une minute et demie, comme un bébé, gentiment, tout doucement, incapable de m'amener avec lui jusqu'à l'autre rive, puis passe les dix minutes suivantes, que, vu le peu de temps dont nous disposons, il aurait pu consacrer à faire quelque chose de plus utile, à s'excuser.

— Désolé, je suis super crevé.

— Ne t'en fais pas.

Je lui mens, avec une certaine mauvaise humeur, tandis que mon corps fâché se refroidit, que mes lèvres se dessèchent et que mon désir reste à flotter de-ci de-là dans la chambre, sans objet précis, pareil à un petit nuage opiniâtre et paresseux.

Il se lève tout à coup et je le vois reflété dans la glace de l'armoire. J'ai de la peine à le reconnaître, je m'aperçois pour la première fois qu'il a une petite tête et qu'il est en train de devenir chauve.

— Tu ne crois pas que tu emploies le préfixe « super » à une trop grande fréquence ? lui dis-je, aiguisant lentement les mots.

— Avant ça te plaisait, ça te faisait mourir de rire.

— Ma mère se retournerait dans sa tombe si elle t'entendait.

Il me sourit avec douceur, dévoilant ses dents tachées de nicotine. Je le regarde attentivement et je remarque comment son déguisement – la peau bronzée, la barbe de quatre jours, les dry Martini, les mains de loup féroce, le vieux bracelet souvenir d'un festival de musique – part en lambeaux. Ce n'est pas que l'homme que j'ai devant moi soit laid, au contraire, mais ce n'est pas l'homme dont j'étais tombée amoureuse, ce n'est plus un tout, c'est un ensemble de qualités et de défauts, un homme comme tant d'autres, que mon amour ne protège plus, n'invente plus, livré sans protection à l'inclémence du temps.

— Comme c'est triste que je doive partir ! me dit-il avec ses yeux d'orphelin tandis que le gros nuage invisible se place sur sa tête imprudente et lentement se gonfle d'orage.

— Tu sais ce qui va se passer, non ?

— Quoi ? me répond-il.

— Ta femme va encore te quitter, elle va tomber amoureuse d'un autre homme.

— Elle aura du mal à trouver un autre homme, elle n'est pas comme toi.

Je pense avec un peu de peine à la femme arrogante en tunique bleu turquoise de la boucherie et à la faculté que nous avons de dire les choses les plus viles et misérables des êtres que nous aimons le plus.

— Et, à ce moment-là, moi, je ne t'aimerai plus.

Les derniers échanges le rendent pensif, mais ce qui a l'air de l'inquiéter le plus c'est que sa femme puisse trouver un autre homme, ce qui apparemment ne lui avait pas traversé l'esprit, comme si ce qui avait déjà eu lieu une fois avait été une sorte de catastrophe naturelle absolument étrangère à eux et ne pouvait pas se répéter, plus, en tout cas, que la pensée qu'un jour je puisse ne plus avoir envie de me jeter dans ses bras. Il s'habille en silence.

— Ça fait longtemps que je ne baise plus avec ma femme.

Il dépose ce cadeau puant devant moi, comme un chien qui, après une promenade en forêt, reviendrait avec le cadavre décomposé d'un rongeur et l'offrirait à son maître comme un trophée.

— Je m'en fous, ce ne sont pas mes affaires, dis-je avec une certaine répugnance.

Jusqu'à aujourd'hui il n'avait jamais fait allusion à son intimité avec sa femme. J'ajoute :

— Je crois que nous devrions cesser de nous voir.

— Merde, merde, merde, s'exclame-t-il en se prenant la tête entre les mains, comme un acteur de troisième zone essayant d'exprimer l'affliction. Je sais que ce que je te donne est très peu, mais je ne peux pas arrêter de te voir.

Et il ajoute à voix basse, comme s'il avait honte de le dire ou si c'était un mensonge :

— Je t'aime beaucoup.

Je pense, surprise en m'apercevant que j'ai déjà commencé à parler de notre histoire au passé, que c'est ça qui a posé problème : au lieu de m'aimer, tu m'as aimée beaucoup. Mais je ne dis rien parce que désormais c'est trop tard, parce qu'il n'y a pas de conversation plus pathétique au monde, plus vouée à l'échec que celle de deux individus essayant d'évaluer leur amour.

Son portable se met à sonner à cet instant ; c'est sa femme de retour d'un concert dans une ville voisine qui le réclame. Il jette un coup d'œil rapide à la montre de luxe que lui a offerte son beau-père, qu'il porte comme s'il s'agissait d'une bague de fiançailles, et me regarde avec les yeux brillants.

— Je dois m'en aller.

— Oui, moi aussi.

— On se voit bientôt, d'accord ?

Il écrase avec passion et maladresse ses lèvres sur les miennes, inertes.

Comme il s'éloigne, je vois qu'il a les jambes arquées.

Je m'assois pour fumer sur la place du village, l'orchestre continue à jouer et le public familial a été remplacé par une foule noctambule, plus portée sur la danse. Jusqu'au moment où tu es tombée malade, où tu es morte, je n'avais jamais eu l'idée de m'asseoir sur un banc public. Si je me trouvais dehors, c'était pour me rendre quelque part ou pour me promener, et maintenant je prends plaisir à cette immobilité au milieu du flot de gens, à être assise sur ces petites embarcations de sauvetage publiques. Le monde se divise entre ceux qui s'assoient sur les bancs publics et ceux qui ne le font pas. Je suppose que je suis passée dans le camp des vieux, des immigrants, des désœuvrés, de ceux qui ne savent pas où aller. J'aperçois soudain, dans la foule des vacanciers, une silhouette très grande et dégingandée, vaguement familière, qui agite des bras incroyablement longs, rachitiques, ce sont peut-être des mouvements de danse, peut-être des gestes de salut.

— Blanca ! Ma belle !

Il m'embrasse sur la bouche, comme il m'a embrassée le premier jour, il y a mille ans, cinq minutes après que nous avons fait connaissance, au milieu d'une tablée pleine de monde. Je pense fugacement à Elisa, avec son petit visage de souris savante, armée de toutes ses théories freudiennes pour affronter et domestiquer le monde, si seulement elle pouvait être là, elle m'expliquerait tout et on rirait ensemble, elle dirait sûrement que tout est ta faute.

— Nacho !

— Qu'est-ce que tu fais ici toute seule ?

— En fait, je ne sais pas. Ces temps-ci, tout le monde m'abandonne, mon ex-mari, ma meilleure amie, mon amant...

— Viens, dit-il en me prenant la main, je t'emmène à une fête.

Pendant que nous parcourons les rues du village, je l'observe du coin de l'œil. Le roi du monde, le junkie sportif, l'homme à femmes impénitent, s'est mué en un mendiant couvert de cendres. Nous nous connaissons de vue depuis l'enfance, mais nous ne sommes devenus amis qu'après que j'ai eu vingt ans, lorsque la différence d'âge – il a neuf ans de plus que moi – a cessé d'être visible et d'avoir de l'importance, moi je n'ai plus été une petite gamine pour lui, même s'il a continué à m'appeler comme ça, et lui ne m'a plus paru aussi vieux. Il possédait la combinaison parfaite de lumière et d'obscurité des hommes maudits et romantiques, cet éclat électrique qui attire les autres comme les flammes attirent les papillons de nuit, des yeux de faon, et une vie de débauche, de défonce, d'oisiveté absolues, une vie complètement chaotique et égocentrique. Une beauté physique si remarquable que, pendant des années, aucune femme n'avait pu lui résister, moi pas plus que les autres, et c'est ensemble, au bout de certaines nuits, que nous avons contemplé le jour se lever, blottis l'un contre l'autre sur une plage voisine, ou abrités dans l'entrée d'un édifice. Mais, malgré la sympathie que nous éprouvions l'un pour l'autre, jamais nous n'avons fait un geste pour nous revoir à Barcelone, où nous vivions tous les deux, jamais nous n'avons échangé nos numéros de téléphone. Nacho faisait partie de l'été, comme les promenades en bateau, les siestes dans le hamac ou le pain encore chaud que nous achetions au petit matin, directement au four où le pétrissaient des hommes fatigués, aux manches relevées, qui nous regardaient d'un air triste, un pain que nous dévorions avant de rentrer chez nous dormir. Je n'ai jamais pensé qu'il pût exister autre part qu'à Cadaqués. Puis, finalement, la cocaïne est devenue son unique maîtresse, elle a transformé ce sourire irrésistible en un rictus grimaçant et difforme, lui a volé son regard d'adolescent pour le remplacer par des yeux rusés, affamés et troubles. Je pense à son corps jadis si souple et élégant et qui n'est plus guère qu'un squelette, pendant que nous grimpons l'une des côtes pavées du village ; il se déplace avec raideur, j'ai l'impression que chaque pas lui coûte et le fait souffrir, comme s'il était creux; je suppose que chaque corps raconte à sa façon son histoire de volupté, d'horreur et de détresse.

Nous arrivons dans une grande maison avec des salons blancs, de vieux canapés en cuir couverts de coussins, des tapis orientaux couvrant un sol de granit rouge. Il y a des bougies partout, certaines déjà complètement consumées. Les larges baies qui donnent sur le village et sur la mer sont grandes ouvertes, les rideaux légers et pâles s'agitent comme des voiles captives. Il y a beaucoup de monde, de la musique, de la drogue éparpillée sur les deux tables basses, de l'alcool et quelques restes de fruits gâtés dans de grands récipients colorés. Je reconnais certains des autres naufragés du village, enfants des premiers colons, intellectuels et artistes qui, pendant les années 1960, sont arrivés à Cadaqués et l'ont peuplé de gens séduisants, avec du talent et l'envie de changer le monde, l'envie, surtout, de s'amuser. Je reconnais instantanément les enfants de cette génération, les sauvageons élevés comme moi par des parents lucides, brillants, qui avaient réussi et étaient très occupés, des adultes obstinés à faire du monde une fête, leur fête. Nous sommes, je crois, la dernière génération qui a dû se battre de toutes ses forces pour attirer l'attention de ses parents, les intéresser. Souvent, nous y sommes parvenus lorsqu'il était déjà trop tard. Ils ne considéraient pas que les enfants étaient de petites merveilles, mais plutôt de petits emmerdeurs, des bestioles pénibles à moitié finies. Et nous sommes devenus une génération perdue de séducteurs innés. Nous avons dû inventer des méthodes beaucoup plus sophistiquées que tirer sur la manche ou nous mettre à chialer pour que l'on fasse attention à nous. On exigeait que nous soyons au même niveau que les adultes ou, du moins, que nous ne gênions pas et laissions parler les grands. La première fois que je t'ai montré une rédaction que j'avais écrite et qui avait remporté un prix à l'école – je devais avoir dans les huit ans –, tu m'as dit de ne plus rien te montrer avant d'avoir écrit un bon millier de pages, qu'en dessous de cette quantité, ce n'était pas une tentative sérieuse. Les bonnes notes étaient reçues comme une évidence, les mauvaises avec un certain ennui, mais sans grands reproches ni punitions. Moi, maintenant, j'ai une maison tapissée de dessins de mon plus jeune fils, et j'écoute l'aîné jouer du piano avec la même révérence que s'il était Bach ressuscité. Parfois je me demande ce qui se passera quand cette nouvelle génération d'enfants dont les mères considèrent la maternité comme une religion – des femmes qui allaitent leurs enfants jusqu'à ce qu'ils aient cinq ans, âge à partir duquel elles alternent sein maternel et spaghettis, dont le seul intérêt, la seule préoccupation, la seule raison d'être sont les enfants, qui élèvent leurs fils comme s'ils allaient régner sur un empire, inondent les réseaux sociaux de photos de leurs rejetons, pas seulement des photos d'anniversaire ou de voyages, mais aussi de leurs enfants trônant sur les W.-C., ou sur le pot (il n'y a pas plus impudique que l'amour maternel contemporain) –, quand ces enfants grandiront et se transformeront en êtres humains aussi médiocres, contradictoires et malheureux que nous, peut-être même plus, je ne crois pas que qui que ce soit puisse sortir indemne d'avoir été photographié en train de chier.

On s'assoit Nacho et moi sur un canapé à côté d'un couple d'amis à lui. Immédiatement, ils nous proposent de la coke. Nacho accepte avec enthousiasme et commence à sautiller autour de nous et à faire semblant de jouer de la guitare au rythme de la musique qui sort des enceintes, écartant beaucoup les jambes et faisant de grands moulinets avec l'un de ses bras. La fille insiste pour que je me fasse une ligne avec eux, mais je refuse l'offre.

— Non, merci, je suis crevée. Et si demain je ne suis pas en forme, mes enfants vont se plaindre.

— Ah, dit-elle en me regardant d'un air surpris, tu as des enfants. Eh bien, une petite ligne te boostera, ça t'enlèvera la fatigue.

La fille est blonde et douce, très maigre et bronzée, elle porte un pantalon de type indien, pratiquement transparent, sans sous-vêtements, et un vieux tee-shirt d'un rose passé.

— Non, ça va comme ça. Sérieusement.

— Mais tu es conne ou quoi ? lui crie soudain

son copain. Tu n'as pas entendu qu'elle t'a dit non? Fous-lui la paix.

Et ils se mettent à s'engueuler, heureusement leurs voix sont couvertes par le volume sonore de la musique, et je les vois seulement gesticuler, frénétiques. Nacho va et vient en faisant des bonds, puis, finalement, après deux gin-tonics, je me laisse entraîner et nous nous mettons à danser comme lorsque nous étions ados, que nous croyions encore que la vie allait tenir toutes ses promesses et que tout était égal, parce que tout allait bien se passer. Quand le morceau est fini, nous nous écroulons ensemble sur le canapé. C'est à ce moment-là que l'aimable jeune fille blonde et douce s'approche de moi en courant.

— Je te cherchais! Regarde, regarde, me dit-elle en me montrant une photo sur son portable, ce sont mes ovules congelés.

— D'accord.

Je fixe l'image inidentifiable d'un fond gris avec quelques taches ovales d'un gris plus foncé, sans savoir que dire, tandis qu'elle m'observe, les yeux pleins d'espoir.

— Ils sont très jolis, dis-je finalement.

— N'est-ce pas! s'exclame-t-elle. C'est pour le jour où je déciderai d'avoir des enfants.

Elle ajoute :

— Lorsque je serai prête.

— C'est super. Je suis très contente pour toi.

— Je voulais juste te les montrer.

Elle a les yeux d'un bleu transparent et naïf

qui m'émeut profondément, comme si je pouvais me pencher et voir à travers eux l'intérieur de son corps, les petites rivières de sang, son cœur craintif et courageux à la fois.

Nacho me dit, une fois qu'elle est partie :

— Elle, elle est foutue, lui peut-être qu'il s'en tirera, mais elle, elle est pourrie jusqu'à la moelle. L'idée de congeler les ovules, c'est son père, un médecin de Madrid, un type très connu.

Il écarte mes cheveux et commence à embrasser ma nuque comme un oiseau, en picorant.

— Et nous, qu'est-ce qu'on fait ? demande-t-il. On va dormir ensemble ? Comme au bon vieux temps ?

J'éclate de rire.

— Qu'est-ce qu'on est vieux ! Non ? Imagine-toi alors ce que ce sera dans vingt ans. Maintenant, on ne fait que s'entraîner à la vieillesse, mais pour le moment c'est une plaisanterie, une ombre lointaine.

— Donc ça, ça veut dire qu'on ne va pas dormir ensemble.

Il me mordille la nuque doucement.

— Je crois que ce dont j'ai besoin, c'est d'un ami.

— Moi, comme ami, je suis du genre plutôt néfaste, tu es bien placée pour le savoir.

Nous nous mettons à rire tous les deux.

— Bien sûr. Moi non plus je n'ai rien d'un ange. Mais si on pouvait rester pelotonnés l'un contre l'autre comme ça pendant un moment...

Je sens la fatigue brumeuse et un peu endolorie des jours de convalescence passés au lit, la vague et persistante tristesse qui me recouvre depuis ta mort, dont j'essaie de me débarrasser, mais dont les fines particules viennent se reposer toujours, précises, au même endroit.

Nacho m'enlace très fort, comme un petit enfant le ferait avec son doudou, mais je sens son corps tendu et anxieux. Je sais qu'il n'ira pas dormir tant qu'il restera le moindre soupçon de poison dans la maison.

— Je dois y aller, dis-je en le libérant. Il se fait très tard.

Il m'accompagne jusqu'à l'entrée et, me saisissant le visage entre ses mains, m'embrasse comme il y a mille ans, lorsque nous étions lui et moi quelqu'un d'autre. Sa silhouette de Don Quichotte se découpe sur la porte.

— Fais attention à toi, gamine. Il fait froid dehors.

Il a fraîchi et une légère brume, grise, laiteuse, qui bientôt se teindra de rose et d'orange, commence à estomper les contours des choses. L'aube est proche. J'ai dû passer trois ou quatre heures à la fête. La musique de la maison m'accompagne un moment jusqu'à ce que finalement il n'y ait plus que le son de mes pas sur l'ardoise grise et le pépiement des oiseaux somnambules. Je ne veux pas encore aller dormir, je crois que je vais descendre à la plage et que, pour la première fois, je verrai le soleil se lever seule, même si, peut-être, comme quantité d'autres choses, l'aube ne prend tout son sens de triomphe et de rédemption qu'en une compagnie silencieuse. Mais, au lieu de me diriger vers la mer, je me tourne vers les flancs de la montagne, je m'enfonce dans les ruelles rocheuses, étroites comme des couloirs, que délimitent des murs bas de pierres empilées, magnifiques puzzles anciens qui ne se défont jamais, qui bornent vergers et champs d'oliviers, sur lesquels, pendant le jour, les chats du quartier sommeillent et surveillent. Quelqu'un a posé sur un muret une minuscule chaussure d'enfant. Dans peu de temps, mes fils s'éveilleront, mon spectacle privé de rêves et d'aubes, Edgar, silencieux et méditatif, traîne comme moi les vestiges de la nuit un long moment, tandis que Nico se jette sur la journée avec décision, bavard et gai. Mes jambes sont lourdes comme dans certains cauchemars, mais je ne ralentis pas, je bois l'air nouveau et intact du jour qui commence, je me dis que demain j'arrêterai la cigarette, et je grimpe lentement la côte qui mène jusqu'à une esplanade de terre avec deux arbres rachitiques qui, en été, sert de parking aux vacanciers du camping. Quand j'étais jeune, je venais souvent ici, je me souviens d'un ami italien qui me faisait des spaghettis à la sauce tomate sur un réchaud en plein air, mais j'ai oublié son nom, comme celui de presque tous les personnages de ces étés légers et heureux pendant lesquels, comme tous les jeunes, avec euphorie, arrogance, insouciance et intensité, nous planions sur le village et sur le monde. Un homme âgé, un seau à la main, traverse l'esplanade du camping et me salue d'une inclination de la tête avant de disparaître dans le petit local des douches. Je dois avoir l'air lamentable, si le bar du camping était ouvert, j'irais prendre un café et me débarbouiller, mais il est encore trop tôt, le bâtiment gris est fermé, les lumières éteintes. Je continue à marcher jusqu'à ce que j'entrevoie les murs blancs du petit ermitage qui s'éclairent peu à peu et les deux cyprès, pareils à des gardiens sévères et bienveillants, encore sombres, qui flanquent l'entrée du cimetière. Je suis arrivée, ici s'achève la voie de dalles jaunes. Malgré la fatigue, mon cœur bat fort, j'ai les mains glacées, et je me mets à trembler. La dernière fois que je me suis trouvée ici, il y avait un tas de gens, les vivants étaient plus nombreux que les morts, nous étions en majorité, et mes amis étaient là. Et pourtant, à ce moment-là, j'avais déjà commencé à penser à ce que ce serait de venir seule, je m'étais imaginée grimpant la côte, sereinement et philosophiquement, déjà guérie, avec à la main peut-être une fleur sauvage cueillie sur le chemin. Je scrute le portail de bois sombre et noueux, je caresse du doigt la lourde poignée en fer. J'ai peur et je suis exténuée, peut-être vaudrait-il mieux que je rentre chez moi dormir, me reposer, revenir à midi, accompagnée, ou ne plus revenir jamais, c'est une possibilité. Je pousse la porte. Elle est fermée. Mais les cimetières ne sont jamais fermés la nuit, j'ai vu des milliers de films d'horreur qui se passent la nuit dans des cimetières. C'est sûrement que je ne sais pas y faire, la porte ne peut pas être fermée. Je pousse de nouveau, j'appuie tout mon corps contre le bois, tout en manipulant inutilement la lourde poignée. Je ne peux pas respirer et je m'aperçois que je suis en pleurs. Je vais tout arranger, je vais tout arranger, il y a toujours une solution. Je vais appeler le maire et lui demander de venir m'ouvrir la porte. Je grimperai sur le mur comme l'homme-araignée. J'écrirai une lettre indignée au journal local. Je contacterai Amnesty International. C'est impossible que la porte ne cède pas et que je ne puisse pas entrer. Je respire profondément. Je vais essayer la manière douce, sans m'énerver, comme ça, c'est sûr, ça marchera. Je frappe délicatement à la porte et je murmure : « Maman, maman », très bas, en appuyant l'oreille contre le bois noir, je crois entendre dans le lointain un bruissement de pattes de chat, mais j'attends un moment et personne ne vient. Je secoue la pesante poignée en fer et me mets à cogner sur la porte comme si c'était moi qui étais enfermée quelque part, jusqu'à ce que la douleur des poings et des paumes m'oblige à m'arrêter. Je m'assois, sur le banc à l'entrée de l'ermitage, je suis vaincue et je n'en peux plus. Le jour s'est levé sans que je m'en rende compte. Une lumière diaphane et rose caresse les oliviers argentés, teint de rouge les murs blancs et humidifie imperceptiblement les chemins de terre. Cette lumière, je la reconnais, elle est comme l'appel de quelqu'un que je connais. Je monte sur le banc et hisse mon regard au-dessus du mur, voilà le champ d'oliviers et Port Lligat, le petit port où nous avions le bateau, au fond. Soudain, je la vois. Elle marche sur le quai, je vois sa chemise délavée à carreaux bleus par-dessus son maillot de bain, ses magnifiques jambes bronzées toujours couvertes de bleus, ses sandales de petite fille avec ses pieds tournés vers l'intérieur, ses lunettes de travers, ses cheveux dans un état atroce sous une casquette raidie par l'eau salée, elle avance avec ses trois chiens – Patum, Nana et Luna – qui viennent de se jeter à l'eau, et elle se dirige, heureuse, vers son bateau. La mer est lisse comme un miroir, c'est une journée merveilleuse. Avant de monter dans l'embarcation, elle se retourne, me sourit et me dit :

— Ça aussi ça passera.

Et elle me fait un clin d'œil.

ÉPILOGUE

Ta dernière nuit, tu l'as passée seule. J'étais restée à l'hôpital toute la journée à te tenir la main et quand le médecin m'a dit que tu allais mieux, même s'il suffisait de te regarder pour voir que ce n'était pas vrai, j'ai décidé d'aller chez moi dormir un peu. J'aurais aimé mourir avec toi, dans la même chambre, au même instant, et pas le matin suivant, quand tu étais déjà morte. J'aurais aimé être là, te tenant la main, pour notre fin. Parce que j'erre sur la terre des vivants, avec plus ou moins de joies, dans une plus ou moins grande solitude, mais toujours une part de moi se trouve là où tu te trouves. Parfois, je me raconte l'histoire que tu m'as racontée un jour, assise sur mon lit, pour me consoler de la mort de mon père : il était une fois, dans un lieu très lointain, peut-être la Chine, un empereur très très puissant, intelligent et bienveillant, qui avait réuni un jour tous les sages du royaume, les philosophes, les mathématiciens, les scientifiques, les poètes, et il leur avait dit : « Je veux une phrase brève, qui puisse servir dans toutes les circonstances possibles, toujours. » Les sages s'étaient retirés et avaient passé des mois et des mois à réfléchir. Enfin, ils étaient revenus et avaient dit à l'empereur : « Nous avons trouvé la phrase, c'est celle-ci : "Ça aussi ça passera". » Et tu avais ajouté : « La douleur et la tristesse passent, comme la joie et le bonheur. » Je sais à présent que ce n'est pas vrai. Je vivrai sans toi jusqu'à ce que je meure. Tu m'as donné le coup de foudre comme seule forme possible de tomber amoureuse (tu avais raison), l'amour de l'art, des livres, des musées, du ballet, la générosité absolue vis-à-vis de l'argent, les grands gestes aux bons moments, la rigueur dans les actes et dans les mots. L'absence totale de sentiment de culpabilité, la liberté, et la responsabilité qu'elle implique. Chez toi, personne ne se sentait coupable de quoi que ce soit, on pensait et agissait en conséquence, et, si on se trompait, ça ne servait à rien de se sentir coupable, on assumait les conséquences, et c'était tout. Je crois que je ne t'ai jamais entendue dire : « Je le regrette. » Tu m'as aussi fait don de ce rire fou, de la joie de vivre, de l'abandon de soi total, du goût pour tous les jeux, du mépris pour tout ce qui te semblait rendre la vie plus petite et irrespirable : la mesquinerie, le manque de loyauté, l'envie, la peur, la stupidité, la cruauté surtout. Don du sens de la justice. De la révolte. De la conscience fulgurante du bonheur au cours de ces instants où vous l'avez entre les mains et avant qu'il ne reprenne son vol. Je me souviens qu'à certains moments nous nous sommes toutes les deux regardées, au-dessus d'une table pleine de gens, pendant que nous nous promenions dans une ville inconnue, ou au beau milieu de la mer, et que nous avons senti que tombait sur nos têtes de la poussière de fées et que nous n'allions sans doute pas nous mettre à voler sur place, comme l'assurait Peter Pan, mais presque. Tu me souriais de loin, et je savais que tu savais que toutes deux nous savions, et qu'en secret nous remerciions les dieux de ce présent insensé, de ce plongeon parfait en haute mer, de ce crépuscule rose, de ces rires après une bouteille de grappa, des clowneries que nous faisions pour que les êtres qui nous aimaient déjà beaucoup nous aiment encore un petit peu plus. Et la grandeur, une capacité à nommer les choses, à les voir, une authentique tolérance envers les vices et les défauts des autres êtres humains. Je doute beaucoup d'en avoir hérité, mais je sais quand je l'ai près de moi, je la reconnais, et, depuis que tu n'es plus là, je la recherche comme un chien affamé, comme un junkie aux yeux cernés, souffrant de manque, je la flaire, je l'entends, la reconnais (parfois un mouvement de la main me suffit), elle se trouve chez mes enfants à l'état naissant, la courtoisie, la bonne éducation, l'absence absolue de snobisme. Toute personne qui pénètre chez moi, et il en vient quelques-unes de très étranges, est reçue par tes petits-enfants avec amabilité, curiosité, respect, précaution, affection. Et chaque fois que nous passons en voiture devant le dernier appartement où tu as vécu, rue Muntaner, j'observe du coin de l'œil dans le rétroviseur comment ton petit-fils aîné lève ses yeux en silence en direction de ton étage. Je pense que je pourrais peut-être lui dire que tu te trouves dans un meilleur endroit pour toi, mais je sais que ce n'est pas vrai, parce que, pendant longtemps, tu n'as rien aimé davantage qu'être avec tes petits-enfants et avec moi. Un jour, nous parlerons longuement de toi. Je commence à respirer mieux et je ne fais presque plus de cauchemars, certains jours je sens voleter au-dessus de ma tête de la poussière de fées, pas beaucoup et pas très souvent, mais c'est un début. Nous avons un nouveau locataire à la maison, il s'appelle Rey, j'essaie d'apprendre aux enfants à le sortir chaque jour. Avant-hier, j'ai apporté ta veste au pressing, on me la rendra jeudi, « comme neuve », m'a-t-on dit.

Barcelone, avril 2014

DU MÊME AUTEUR

Aux Éditions Gallimard

ÇA AUSSI, ÇA PASSERA, 2015 (Folio n° 6291)

331027

Composition CMB/PCA
Impression Maury Imprimeur
45330 Malesherbes
le 30 octobre 2017.
Dépôt légal : octobre 2017.
1er dépôt légal dans la collection : février 2017.
Numéro d'imprimeur : 222677.

ISBN 978-2-07-271087-2. / Imprimé en France.